Die drei ???® *Kids*

In der Geisterstadt

## STECKBRIEF

Name:
Justus Jonas

Alter:
10 Jahre

Adresse:
Rocky Beach, USA

was ich mag:
essen, lesen, unbeantwortete
Fragen + Rätsel aller Art, Schrott

was ich nicht mag:
wenn ich Pummelchen genannt
werde, für Tante Mathilda aufrä

was ich mal werden will:
Kriminologe

Kennzeichen:
das weiße Fragezeichen

## ST

Nan
Pe

Alte

Adr
Ro

was ich mag:
schwimmen,
Justus und

was ich nicht mag:
für Tante Ma
räumen, Ha

was ich mal werden w
Profisportler,
100 Jahre alt

Kennzeichen:
blaues Frag

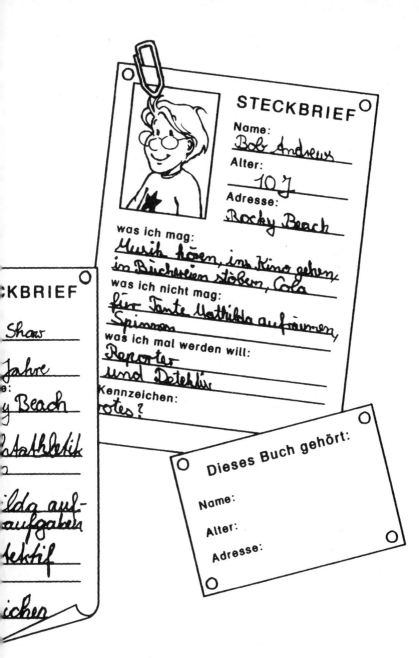

*Ulf Blanck*, 1962 in Hamburg geboren, hat neben seinem Architekturstudium jahrelang in einer Theatergruppe gespielt und dabei sein Interesse für Bühnenstücke und das Hörspiel entdeckt. Heute arbeitet er als Moderator, Sprecher und Comedy-Autor bei verschiedenen Hörfunksendern. ›In der Geisterstadt‹ ist ein neues spannendes Abenteuer mit dem berühmten Detektivtrio Justus, Peter und Bob — für jüngere Leser ab acht Jahren!

Weitere ›Die drei ???® Kids‹-Bände bei <u>dtv</u> junior: siehe Seite 6

Die drei ???® *Kids*

# In der Geisterstadt

Erzählt von Ulf Blanck

Mit Zeichnungen von Stefanie Wegner

Deutscher Taschenbuch Verlag

Ungekürzte Ausgabe
In neuer Rechtschreibung
März 2008
Deutscher Taschenbuch Verlag GmbH & Co. KG, München
<u>www.dtvjunior.de</u>
© 2003 Franckh-Kosmos Verlags-GmbH & Co., Stuttgart
Umschlagkonzept: Balk & Brumshagen
Umschlagbild: Stefanie Wegner
Satz: Fotosatz Reinhard Amann, Aichstetten
Gesetzt aus der Advert 11/18˙
Druck und Bindung: Druckerei C. H. Beck, Nördlingen
Gedruckt auf säurefreiem, chlorfrei gebleichtem Papier
Printed in Germany · ISBN 978-3-423-71285-9

# In der Geisterstadt

# Dosenwerfen

Pünktlich um acht Uhr morgens trafen Peter und Bob auf dem Schrottplatz ein und lehnten ihre Fahrräder gegen die Veranda. Justus Jonas beugte sich fröhlich aus dem Küchenfenster und begrüßte seine beiden Freunde. »Wartet, ich komme gleich raus!«, rief er ihnen mit vollem Mund zu, wischte seine Marmeladenfinger an der Serviette ab und wollte gerade an Tante Mathilda vorbei nach draußen rennen. »Du hast deine Milch nicht ausgetrunken«, stoppte sie ihn unnachgiebig. »Hinsetzen, trinken und Hemd in die Hose stecken! Anscheinend macht hier jeder, was er will. Dein Onkel tanzt mir heute auch schon den ganzen Tag auf der Nase rum. Wird Zeit, dass sich einiges ändert im Hause Jonas.«

Widerwillig trank Justus den Rest Milch aus und stopfte sich mit der anderen Hand das T-Shirt unter den Gürtel. In der Zwischenzeit zog Tante Mathilda einen duftenden Kirschkuchen aus dem Backofen und stellte das heiße Blech zum Abkühlen auf den

Tisch. »Eigentlich habt ihr den gar nicht verdient«, grinste sie. »So, jetzt kannst du zu deinen Freunden.«

Leider hatte Justus nicht bemerkt, dass er sich gleichzeitig das Tischtuch in die Hose gesteckt hatte. Er sprang auf, rannte abermals zur Tür und riss dabei die ganze Decke mit sich. Es gab ein ohrenbetäubendes Scheppern, als das Blech mit dem Ku-

chen auf die Fliesen krachte. Der Boden war übersät mit Kirschen und zerbröseltem Kuchen.

»Das darf doch wohl nicht wahr sein!«, schimpfte Tante Mathilda entsetzt. »Den ganzen Morgen habe ich in der Küche gestanden und Kirsche für Kirsche mühsam entkernt. Kannst du nicht ein bisschen besser aufpassen? Nun sieh dir den Schweinkram an!«

Mit hochrotem Kopf half Justus die Kuchenreste aufzusammeln. »Es tut mir leid«, sagte er leise. »Es tut mir sehr leid.« Diese Worte meinte er wirklich so, wie er sie sagte — zumal Tante Mathildas Kirschkuchen mit Abstand der beste in ganz Rocky Beach war.

»Nun lass schon! Ich mach das allein weg und backe einen neuen. Ein paar Eier habe ich ja noch. Lauf lieber los und tritt nicht in die Kirschen!«

Draußen warteten schon ungeduldig seine beiden Freunde.

»Habt ihr noch Dosenwerfen gespielt?«, scherzte Bob und wischte sich die Brille sauber. Justus war weniger zum Lachen zumute. »Vergiss es! Der Tag beginnt wie ein Griff in die Mülltonne. Onkel Titus müsste gleich ankommen — ich hol uns schon mal die Handschuhe.«

»Was sollen wir denn diesmal herumschleppen?«, fragte Peter neugierig.

»Keine Ahnung. Er ist ganz früh mit seinem Pickup nach Hollywood gefahren. Vielleicht hat er ein paar vergammelte Filmkulissen aufgekauft — das würde zu ihm passen.«

Onkel Titus war Schrotthändler und kaufte alles, was gut und billig war. Justus, Peter und Bob halfen ihm oft beim Ausladen und Einräumen, denn er steckte den dreien jedes Mal großzügig ein paar Dollar zu.

Nach wenigen Minuten hörten sie, wie sich ein Wagen auf der Hauptstraße näherte.

»Den kaputten Auspuff erkenne ich meilenweit gegen den Wind«, grinste Justus. Seine Laune besserte sich allmählich. Dann rollte ein klappriges Auto durch das große Tor. Onkel Titus stieg aus und öffnete stolz die Ladeklappe des kleinen Transporters. »Nun guckt euch an, was ich aufgegabelt habe! Alles für einen Spottpreis.«

Die drei ??? konnten es nicht fassen. Der gesamte Wagen war vollgepackt mit leeren Filmdosen.

»Na, habe ich euch zu viel versprochen? Das sind über 1500 Stück. In diesen Dosen lagen schon die Filmrollen von James Bond und Alfred Hitchcock. Das sind Zeugen der Filmgeschichte. Fantastisch, oder?« Fassungslos öffnete Justus den Deckel einer der flachen Dosen. »Aber die sind doch leer. Ich verstehe nicht ganz.«

»Na und?«, entgegnete sein Onkel. »Dafür steckt in den Blechdosen der Hauch Hollywoods. Marilyn Monroe, James Dean und Humphrey Bogart. Die Touristen werden mir die Dinger aus den Händen reißen.« Jetzt erahnten die drei ??? seine Absichten. Onkel Titus hatte einen guten Riecher für Geschäfte. »So, und nun lasst uns anfangen, die Dosen abzuladen. Wir packen sie schön gerade übereinander hinter meinen Schuppen. Anschließend fahr ich wieder zurück nach Hollywood.«

»Gab es Probleme mit der Bezahlung?«, wollte Justus wissen. Sein Onkel lachte. »Ne, ich hol noch mal 1500 Stück.«

Die nächsten zwei Stunden verbrachten sie damit, die Dosen aufeinanderzustapeln.

Wackelige Türme reihten sich an der Holzwand des Schuppens auf. Währenddessen zog Tante Mathilda behutsam den neuen Kirschkuchen aus dem Ofen. Diesmal stellte sie ihn zum Abkühlen hoch oben auf den Küchenschrank. »Sicher ist sicher«, sagte sie leise vor sich hin.

»Das war's«, freute sich Onkel Titus. »Alle Do-

sen sind fachgerecht verstaut. Ich schlage vor, wir machen erst mal eine kleine Verschnaufpause.« Sie zogen die Handschuhe aus und setzten sich erschöpft auf die Laderampe des Transporters.

Es war seltsam, denn genau in diesem Moment begann der Boden unter ihnen leicht zu zittern. Erst spürten sie nur eine kleine Vibration, doch dann wurden die Stöße immer stärker. Die aufgestapelten Blechdosentürme klapperten bedrohlich, bis sie wie eine Lawine scheppernd in sich zusammenbrachen. Eine Handvoll Krähen erhob sich kreischend aus den Bäumen und die Hunde der Nachbarschaft begannen ängstlich zu jaulen.

Ein Erdbeben.

# Alarmstufe Gelb

Doch so plötzlich das Beben begann, so schnell verschwand es auch wieder. »Das waren höchstens 3,5 auf der Richterskala«, atmete Onkel Titus erleichtert auf. »Da lacht ein waschechter Kalifornier nur drüber.«

Er hatte nicht bemerkt, dass Tante Mathilda die ganze Zeit hinter ihm auf der Veranda stand. Sie war über und über mit Kirschen bekleckert.

»Titus Jonas! Ich kann nicht darüber lachen — und ich bin auch Kalifornierin. Für heute ist Schluss mit Kuchenbacken!« Wütend verschwand sie im Haus und knallte die Tür hinter sich zu. Ihr war bei den Erschütterungen der Kirschkuchen vom Schrank auf den Kopf gefallen. »Wehe, es fängt einer an zu lachen!«, hörte man sie aus dem Haus schimpfen. Doch Onkel Titus und die drei ??? hatten große Probleme, gerade dieses zu unterdrücken.

Aber schon nach wenigen Minuten kam sie in einem neuen Kleid wieder heraus und gab Justus einen Zettel. »Tut mir leid, dass ich so rumgebrüllt habe,« lächelte sie und zupfte die letzten Kirschen aus ihren Haaren. »Ihr könnt ja nichts dafür, dass mein Kuchen sich selbstständig gemacht hat — zumindest nicht der auf dem Schrank.«

Ihr Neffe sah schuldbewusst auf den Boden. »Natürlich werde ich noch einen Kuchen backen. Schließlich ist Wochenende. Justus, könntest du schnell bei Porter diese Sachen besorgen? Jetzt besitze ich wirklich keine Eier mehr — die anderen Dinge habe ich aufgeschrieben. Das Geld dafür gibt dir dein Onkel. Wer Geld für Blechdosen übrig hat, der kann auch ein paar Eier kaufen.«

Mürrisch kramte Onkel Titus einen 20-Dollar-Schein aus seinem Portemonnaie. »Na schön. Der Rest ist für euch, weil ihr mir beim Ausladen geholfen habt. Das ist diesmal ein teures Erdbeben.«

Solche kleinen Beben waren für die Gegend nichts Ungewöhnliches. Regelmäßig wird die Westküste der Vereinigten Staaten von ähnlichen Erschütterungen heimgesucht. Die Kalifornier hatten im Laufe der Jahre gelernt, mit der Gefahr zu leben.

Gut gelaunt machten sich die drei ??? auf den Weg und verschwanden mit ihren Rädern vom Schrottplatzgelände. Peter und Bob begleiteten Justus in die Stadt. Sie wollten ihr frisch verdientes Geld gleich wieder ausgeben.

Auf dem Weg nach Rocky Beach verengte sich die Straße wegen einer kleinen Baustelle. Seit Tagen wurde die Fahrbahndecke erneuert. Doch jetzt, am Wochenende, gab es niemanden, der hier arbeitete. Als die drei über den sandigen Asphalt fuhren, näherte sich von vorn ein Fahrzeug mit überhöhter Geschwindigkeit.

»Was kommt denn da auf uns zugeschossen?«, erschrak Peter und fuhr so weit rechts wie möglich. Der Fahrer des roten Sportwagens schien sich aber überhaupt nicht um die Baustelle zu kümmern, raste weiter und bremste erst im letzten Moment das Auto ab.

»Achtung!«, schrie Bob. »Der Irre kommt ins Schleudern.« Alle drei rissen den Lenker zur Seite und landeten in dem aufgeschütteten Kiesbett. Gleichzeitig drehte sich der Sportwagen um seine eigene Achse. Reifen quietschten, Staub wirbelte auf und schließlich kam das Fahrzeug rückwärts in einem weichen Sandhaufen zum Stehen.

»Der ist da voll reingekracht«, keuchte Peter. »Hoffentlich ist nichts passiert.«

Vorsichtig näherten sie sich dem Auto. Doch plötzlich gab der Fahrer Vollgas und jagte mit durchdrehenden Reifen davon. Die drei ??? konnten es nicht fassen.

»Habt ihr das gesehen?«, rief Bob. »Als ob nichts

gewesen wäre. Diesen Spinner müsste man sofort anzeigen!«

»Hast du dir denn seine Nummer gemerkt?«, fragte Peter mit zittriger Stimme. Bob schüttelte den Kopf. »Ne, ging alles viel zu schnell. Und rote Sportwagen gibt es viele in Kalifornien. Mist!«

Während Peter und Bob sich den Staub von der Kleidung klopften, untersuchte Justus den Sandhaufen.

»Willst du noch eine Weile im Sand spielen, Just?«, grinste Bob. »Dann holen wir dich später wieder ab.« Doch Justus schien überhaupt nicht zuzuhören und pustete vorsichtig einige Sandkörner fort. »Kommt mal her! Ich glaube, ich habe eine interessante Sache entdeckt.«

Neugierig sahen ihm seine beiden Freunde über die Schulter. »Seht mal genau auf diese Stelle. Achtung, nichts anfassen!«

In dem Sand erkannte man neben der Stoßstange ganz schwach den Abdruck des Nummernschildes. Peter war begeistert. »Wahnsinn, man kann sogar die letzten drei Zahlen erkennen. Acht, Acht, Null.«

»Nicht ganz. Du musst das wie Spiegelschrift lesen. Darum heißen die letzten Zahlen: Null, Null, Acht«, verbesserte Justus. Peter musste sich das eine Weile im Kopf vorstellen. »Na klar, das ist ja nur der Abdruck vom Nummernschild.«

Sie nahmen sich vor, den Vorfall Kommissar Reynolds zu melden. Schließlich wären sie um ein Haar von dem Wagen angefahren worden. Bis Rocky Beach waren es nur noch wenige Kilometer. Obwohl es ein sehr kleines Erdbeben gewesen war, hatte es in der Stadt dennoch Spuren hinterlassen. Hier und da lagen Scherben auf der Straße und die Bewohner der betroffenen Häuser dichteten ihre kaputten Fenster mit Plastikfolie ab.

Auch Porters Laden am Marktplatz hatte es erwischt. Durch sein großes Schaufenster zogen sich lange Risse hindurch. Mister Porter selbst stand kopfschüttelnd vor seinem Geschäft. »Das ist das dritte Mal in diesem Jahr. Wenn das so weitergeht, lasse ich mir eine Plastikscheibe einsetzen.« Die drei ??? schlossen ihre Fahrräder zusammen und gingen auf ihn zu.

»Guten Morgen, Jungs«, begrüßte er sie. »Nun guckt euch das mal an! Der Kitt in der Scheibe war noch nicht mal ganz trocken — jetzt muss ich schon wieder den Glaser anrufen. Ich glaube, der Kerl steckt mit den Erdbeben unter einer Decke.«

Bob begutachtete die Sprünge im Glas. »Lassen Sie es doch, wie es ist. Sieht cool aus mit den Rissen.« Erschrocken drehte sich Mister Porter zu ihm um. »Um Himmels willen! Nicht anfassen!« Doch es war zu spät. Bobs leichter Fingerdruck gab der brüchigen Scheibe den Rest. Mit einem gewaltigen Krach brach das Glas zusammen und zersplitterte in tausend winzige Scherben. Starr vor Schreck stand Bob immer noch mit ausgestrecktem Finger vor dem zerstörten Schaufenster.

»Ist dir was passiert?«, rief Peter entsetzt. Doch Bob hatte Glück gehabt. Lediglich an seinem Schienbein lief etwas Blut herunter. Auch Mister Porter war erleichtert. »Noch mal gut gegangen. Nur ein kleiner Kratzer. Warte, ich hole dir schnell ein Pflaster!«

Als er zurückkehrte, hielt er außerdem einen Besen in der Hand. »Hier, wenn du schon mit dem

Finger eine Glasscheibe durchstoßen kannst, dann wird es dir auch leicht fallen, die Scherben aufzufegen.« Mit diesen Worten überreichte er dem verdutzten Bob den Besen. Aber bevor dieser etwas dazu sagen konnte, wurde er von einem lauten Hupen unterbrochen. Mitten auf den Marktplatz kam ein schwarzes Wohnmobil gerollt und bremste direkt vor dem Polizeirevier. Neugierig rannten die drei ??? zu dem Wagen.

»He, was ist mit den Scherben?«, rief Mister Porter hinterher und winkte mit dem Besen.

Das Wohnmobil hatte keine Scheiben, aber dafür eine Aufschrift an der Seite.

»Seismologische Messstation 07«, las Peter laut vor. »Habt ihr eine Ahnung, was das bedeuten soll?« Justus und Bob schüttelten die Köpfe. In diesem Moment öffnete sich die Fahrertür und drei Männer in weißen Overalls traten heraus.

»Was zum Teufel geht hier vor?«, rief plötzlich eine tiefe Stimme vom Eingang des Reviers. Es war Kommissar Reynolds. Eilig setzte er sich seine Dienstmütze auf den Kopf und stiefelte die Treppenstufen hinunter. Anscheinend wurde er bei seinem zweiten Frühstück unterbrochen, denn der Polizist trug immer noch eine geblümte Stoffserviette um den Hals.

Einer der Männer ging schnurstracks auf ihn zu. »Ich bin Doktor Samuel M. Keppler vom staatlichen Institut für Plattentektonik und angewandte Seismologie. Wer hat in dieser Stadt die Befehlsgewalt für das Inkrafttreten der behördlichen Notstandsgesetze?«

Kommissar Reynolds wischte sich mit dem Handrücken Ketchup-Reste vom Mund. »Bitte, was wollen Sie?«, fragte er irritiert. Doch zu einer Antwort

kam Dr. Keppler nicht, denn seine beiden Kollegen begannen damit, Eisenstangen mit einem Presslufthammer in die Erde zu schlagen. Jetzt erst bemerkte der Kommissar die Serviette. Nervös stopfte er sie in die Jacke. Dr. Keppler hielt ihm währenddessen ein behördliches Schreiben vor die Nase.

»Ich muss mich kurz fassen, denn viel Zeit bleibt uns nicht. Die Lage ist ernst — sehr ernst.«

»Und was bedeutet das?«, fragte der Polizist.

»Das bedeutet sofortige Evakuierung. Alarmstufe Gelb. Die Stadt muss geräumt werden.«

# Big One

Kommissar Reynolds setzte seine Brille auf und nahm das Schreiben entgegen. »Nun mal ganz langsam. Wovon sprechen Sie überhaupt?«

Dr. Keppler öffnete einen kleinen tragbaren Computer. »Es tut mir leid, dass ich es Ihnen mitteilen muss. Für Rocky Beach besteht akute Erdbebengefahr.«

Der Kommissar reagierte darauf fast erleichtert. »Ach so, und ich dachte schon an was richtig Schlimmes. Wissen Sie, wir haben uns hier an die kleinen Hustenanfälle im Erdboden gewöhnt. Gerade heute Morgen hat es wieder ein wenig geruckelt. Ich habe dabei meinen Kaffee verschüttet — mehr ist nicht passiert.«

»Sie sind gut«, mischte sich plötzlich Mister Porter von hinten ein. Auch ihn hatte die Neugier zum Messwagen getrieben. »Sie haben nur mit Kaffee gekleckert — sehen Sie sich mal meine Schaufensterscheibe an!«

»Wenn unsere Berechnungen stimmen, werden wir hier bald mehr zu beklagen haben als ein paar zersprungene Scheiben«, unterbrach ihn Dr. Keppler barsch. »Ich spreche von einem lokalen Beben mit der Stärke 7 bis 7,5 auf der Richterskala.«

»7,5?«, wiederholte Kommissar Reynolds ungläubig.

»Wenn wir Glück haben. Alle unsere Daten weisen darauf hin. Meine Kollegen sind im Moment damit beschäftigt, Messlanzen in den Boden zu rammen. Die moderne Erdbebenvorwarnung verschafft uns einen zeitlichen Vorsprung von gerade vierundzwanzig Stunden. Wer bis dahin sein Haus nicht verlassen hat, wird hier sein Grab finden.«

Mittlerweile hatten sich das halbe Revier und viele Passanten um sie herum versammelt. Der Schock saß tief in den verschreckten Gesichtern. Ratlos kratzte sich Reynolds am Kopf. »Können Sie mir das bitte noch einmal genauer erläutern!«, bat er den Wissenschaftler.

Dr. Keppler schob daraufhin die Seitentür des Messwagens auf. Eine Unmenge an Computerbildschirmen und technischen Geräten kam zum Vorschein. »Also, hier haben wir hochmoderne Anlagen für über eine halbe Million Dollar untergebracht. Sehen Sie auf den mittleren Bildschirm! Er zeigt eine schematische Darstellung der pazifischen und nordamerikanischen Kontinentalplatte. Genau dazwischen liegt der San-Andreas-Graben — mitten in Kalifornien. Und jetzt betrachten Sie die rot eingefärbten seismischen Impulszonen! Wir haben Werte im obersten Grenzbereich. Verbindet man die aktiven Vektoren, dann kreuzen sie sich im Epizentrum. Genau dort liegt Rocky Beach. Eine massive Destruktion im Umkreis von fünf Meilen steht unmittelbar bevor.«

Niemand hatte auch nur ein Wort begriffen.

»Big One«, ergänzte Dr. Keppler mit düsterer Miene.

Diese zwei Worte verstanden alle Anwesenden und erstarrten. »Big One«, das richtig große Erdbeben, war das Schreckgespenst Kaliforniens. Seit Jahren prophezeiten die Wissenschaftler aus der ganzen Welt dieses Beben, das von San Francisco

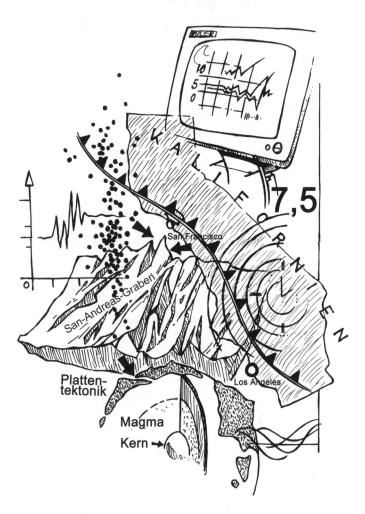

und Los Angeles nichts mehr übrig lassen sollte. Doch wirklich glauben wollte niemand an diese Katastrophe.

»Und wieso sollte Big One nur in Rocky Beach stattfinden?«, fragte plötzlich Justus in die Stille hinein. Verärgert stellte sich Mister Porter vor ihn. »Das hat doch Dr. Keppler gerade erklärt. Es liegt an den roten Impulsfaktoren — eben dem Epi-Dingsbums zwischen den Platten und so weiter. Hast du in der Schule nicht aufgepasst?«

Justus kam nicht dazu, weiterzufragen, denn genau in dem Moment ertönte aus dem Wagen eine kreischende Sirene und grellrote Signallampen blitzten auf.

Aufgeregt rannten die Männer mit den Messlanzen zu Dr. Keppler. »Was ist passiert?«, rief er ihnen entgegen. Einer seiner Kollegen tippte hektisch auf den Computertastaturen herum und sagte mit tiefer Stimme: »Es ist schlimmer, als wir vermutet haben. Die Vergleichswerte der Satellitenanalyse sprechen eine eindeutige Sprache. Da braut sich was zusammen. Es gibt jetzt keinen Zweifel mehr: Das Zentrum des Bebens wird genau in Rocky Beach sein.«

Die Worte des Mannes gaben Kommissar Reynolds den Rest. »Das reicht. Ob es hier rumst oder nicht — lieber ein Alarm zu viel als einer zu wenig. Es bleibt keine Zeit mehr. Hiermit spreche ich den Notstand aus! Informieren Sie den Bürgermeister, die Feuerwehr und die freiwilligen Katastrophenhelfer. Die Stadt wird geräumt! Ich will, dass sich in einer Stunde nicht mal mehr eine Maus auf der Straße aufhält.«

# Stadtflucht

Von nun an ging alles sehr schnell. Wenn Kommissar Reynolds etwas in Angriff nahm, dann tat er es gründlich. Er rannte zurück auf das Revier und wenige Sekunden später heulte vom Rathaus die laute Alarmsirene auf. Ein Polizeiwagen mit einem großen Lautsprecher auf dem Dach fuhr im Schritttempo durch die Straßen. »Achtung, Achtung. Hier spricht die Polizei von Rocky Beach. Bitte packen Sie alles Nötige und verlassen Sie umgehend die Stadt. Es besteht kein Grund zur Panik.« Peter blickte sich besorgt um. »Also ich würde jetzt erst recht Panik kriegen«, sagte er leise.

Mittlerweile strömten aus allen Haustüren die Menschen. Einige hatten sogar noch ihre Schlafanzüge an und zogen schwere Koffer hinter sich her. Ein Mann schimpfte seine Frau aus, die einen riesigen Stapel Kleider auf dem Arm trug. »Musst du den ganzen Plunder mitschleppen?« Wütend stopfte sie alles in den Kofferraum eines Wagens. »Ja, muss ich. Die Sachen haben ein Vermögen gekostet. Du hast dafür deine Zigarrenkiste eingepackt.«

Auf der anderen Straßenseite hoben zwei Sanitäter einen alten Mann im Rollstuhl in einen Krankenwagen. »Warten Sie, warten Sie!«, rief er aufgeregt. »Im Haus ist noch mein Affe. Ein kleines Totenkopfäffchen. Tarzan kann ich nicht hierlassen.« Die Helfer versuchten ihn zu beruhigen. »Keine Angst, Tarzan holen wir später. Zuerst aber kümmern wir uns um Sie und die anderen.«

In kürzester Zeit waren die Straßen verstopft.

Von allen Seiten kamen Autos laut hupend angefahren und bahnten sich ihren Weg durch den Stau. Kommissar Reynolds stand mitten auf dem Marktplatz. Verzweifelt versuchte er mit einer Trillerpfeife den Verkehr zu regeln.

»Gut, dass wir Räder haben«, sagte Bob und rannte vorweg zu Porters Laden. Dieser war gerade damit beschäftigt, große Kartons in seinen Wagen zu laden.

»Räumen Sie Ihr ganzes Geschäft aus?«, wollte Justus wissen. Mister Porter wischte sich den Schweiß von der Stirn. »Nein, nur ein paar lebenswichtige Dinge. Taschenlampen, Notverpflegung, warme Decken und Sturzhelme«, schnaufte er.

»Sollen wir Ihnen helfen, das zu verteilen?«, fragte Justus weiter.

»Verteilen? Unsinn, die Sachen werden natürlich verkauft. Ich bin Händler und kein Samariter.« Dann setzte sich Mister Porter hinter das Lenkrad und verschwand zwischen den anderen Autos. Das Schaufenster seines Geschäftes hatte er zuvor notdürftig mit einigen Brettern vernagelt. In der Auslage stand zwischen den Scherben und aufgetürmten Kaffeedosen wie immer ein laufender Fernseher.

»Seht mal, gleich beginnen die Elf-Uhr-Nachrichten!«, rief Bob aufgeregt und blickte durch einen Spalt zwischen den Brettern.

»Und jetzt der Los Angeles Report mit Susan Sanders«, hörte man. Auf dem Bildschirm erschien eine blonde Frau vor der Landkarte von Kalifornien. »Hallo, willkommen zu den Elf-Uhr-Nachrichten. Ein kleines Erdbeben hat heute die nördliche Küstenlinie erschüttert. Das Beben hatte glücklicherweise nur eine Stärke von 3,2 auf der Richterskala. Experten zufolge wird dennoch davon ausgegangen, dass ...«

In diesem Moment schaltete sich der Fernseher ab.

»Was ist denn jetzt los?«, erschrak Peter. Justus knetete nervös seine Unterlippe. »Mist, gerade im wichtigsten Moment geht das blöde Ding aus. Vielleicht haben die den Strom abgedreht?«

Neben ihm stand ein älterer Feuerwehrmann, der dies bestätigte. »Bei Katastrophenalarm werden als Erstes alle Strom-, Wasser-, Telefon- und Gasleitungen abgestellt. Wenn die Erde bricht, genügt ein Funke und die halbe Stadt steht in Flammen — wie 1906 in San Francisco. Aber so weit wird es schon nicht kommen«, beruhigte er sie.

»Wieso nicht?«, fragte Peter erleichtert.

»Ach, wisst ihr, ich habe dieses Theater schon zigmal in meiner Karriere als Feuerwehrmann mitgemacht. Erst wird die Stadt geräumt, dann übernachten alle in Zelten auf dem großen Parkplatz am Strand und am nächsten Tag kommen sie wieder hundemüde zurück.«

Justus war neugierig. »Zelte am Strand?«

»Ja, dort soll es am sichersten sein — so sagen zumindest die Erdbebenexperten. Wenigstens kann einem dort nichts auf den Kopf fallen«, grinste der Mann. »Rocky Beach ist dann natürlich menschenleer.«

»Eine Geisterstadt«, entfuhr es Bob.

»Wenn du es so nennen willst, ja. Kein Mensch darf sich in der Stadt aufhalten. Es gibt in solchen Fällen sogar besondere Gesetze. Ihr wisst schon, Plünderer, die verlassene Häuser ausräumen wollen, nutzen solche Gelegenheiten. Wenn sich in einer Stunde hier noch jemand ohne Grund herumtreibt — dann macht die Polizei kurzen Prozess. So, ich muss jetzt an meinen Einsatzort. Passt auf euch auf! Wir sehen uns am Strand.«

# Suppenküche

»Also, ich habe keine Lust auf kurzen Prozess«, verkündete Peter und schloss die Räder auf. Justus und Bob sahen das ähnlich.

An der Situation in der Stadt hatte sich noch nicht viel verändert. Die Wissenschaftler um Dr. Keppler rammten immer mehr Messlanzen in den Boden und verdrahteten sie mit der Messstation. Mit sorgenvoller Miene betrachtete der Erdbebenforscher den tragbaren Computer.

Kommissar Reynolds übergab gerade einem Kollegen die Trillerpfeife. »Machen Sie weiter, Miller! Mir geht die Puste aus. Ich werde mich jetzt an den Strand begeben und dort die neue Einsatzzentrale einrichten.«

Auf ihren Fahrrädern waren die drei ??? viel schneller als die vielen Autos auf den verstopften Straßen. Der Mann mit der Zigarrenkiste schimpfte immer noch mit seiner Frau. »Es ist mir unbegreiflich«, hörte man ihn aus dem offenen Fenster seines Wagens. »Wenn du auf einem sinkenden Schiff wärst, dann würdest du wahrscheinlich auch noch deine Bleikristallsammlung mit ins Rettungsboot nehmen, oder?«

»Sieh nach vorn!«, kreischte plötzlich seine Frau. Doch es war zu spät. Ihr Auto krachte direkt auf das Fahrzeug vor ihnen.

Es war Mister Porters Wagen. »Das darf doch nicht wahr sein«, fluchte dieser. »Haben Sie keine Augen im Kopf? Mir sind eben fünfzig nagelneue Taschenlampen um die Ohren geflogen. Das wird teuer für Sie! Verdammt teuer!«

Kurz darauf erreichten die drei ??? das Ortsschild von Rocky Beach. Auf der Küstenstraße hatte sich der Verkehr etwas aufgelöst und sie trafen aus Zufall die Eltern von Bob und Peter. Diese saßen zu viert in einem Wagen und hatten sich auch auf den Weg zum Strand gemacht.

»Wir sehen uns dann auf dem Parkplatz — und passt auf euch auf!«, rief anschließend Mrs Andrews und gab Bob einen Kuss auf die Wange.

»Keine Angst, ihr kennt uns doch«, lachte dieser

und winkte ihnen hinterher. Doch gerade diese Tat-sache bereitete den Eltern Sorgen.

»Wir sollten uns vielleicht auch für den Notfall ausrüsten«, schlug Peter vor. »Was haltet ihr davon, wenn wir schnell in die Kaffeekanne fahren und ein paar Dinge einsammeln?« Justus nickte zustim-mend. »Gut, und danach sag ich Tante Mathilda und Onkel Titus Bescheid.«

Die Kaffeekanne war ihr Geheimversteck und in Wirklichkeit ein ausgedienter Wassertank für alte Dampflokomotiven.

Ein holpriger Weg führte von der Hauptstraße

direkt darauf zu. Wie ein großes Holzfass lag er versteckt zwischen hohen Büschen und vertrockneten Sträuchern. Man konnte von unten in die Kaffeekanne einsteigen. Hier lagerte alles, was ein Detektiv im Ernstfall brauchen konnte: Taschenlampen, Kletterseile, ein Fernglas und halb volle Colaflaschen. Eilig stopften sie ihre Rucksäcke voll. »So, jetzt kann das Erdbeben kommen«, grinste Justus und steckte zusätzlich eine Packung steinharter Kekse ein. Wenige Minuten später fuhren sie wieder auf der Küstenstraße.

»Sieh mal, Just!«, rief Bob überrascht. »Dort hinten kommt dein Onkel.« Mit quietschenden Reifen hielt der klapprige Pick-up direkt vor ihnen. Onkel Titus stieg verwundert aus. »Was ist denn hier los? Veranstaltet Rocky Beach ein Straßenrennen?«

Nachdem die drei ihn über die Erdbebengefahr aufgeklärt hatten, ging Onkel Titus entschlossen an die Ladeklappe seines Transporters. Der Wagen war randvoll bepackt mit der zweiten Fuhre Filmdosen aus Hollywood.

»Was hast du vor?«, fragte Justus seinen Onkel.

»Ich muss sofort alles abladen und nach Hause fahren. Deine Tante macht sich bestimmt schon große Sorgen. Ich brauche Platz auf dem Pick-up — wir haben einiges mitzunehmen.«

»Sollen wir mit anpacken?«, fragte Peter hilfsbereit. Doch Onkel Titus lächelte nur. »Braucht ihr nicht. In besonderen Zeiten muss man zu besonderen Maßnahmen greifen.« Dann öffnete er die Klappe und löste die Haltegurte, mit denen die Ladung verzurrt war. Peter sah ihn verständnislos an. »Was hat er vor?«, flüsterte er nervös. Justus hielt sich die Augen zu. Er hatte eine Vorahnung, was sein Onkel jetzt veranstalten würde. In diesem Moment heulte der Motor laut auf und Onkel Titus legte den Gang ein. Mit einem Ruck schoss der Wagen rückwärts über den Seitenstreifen, Staub wirbelte auf und die durchdrehenden Räder qualmten. Plötzlich trat er mit voller Kraft auf die Bremse.

»Da haben wir den Salat«, stöhnte Justus.

Mit lautem Krachen und Scheppern rutschten 1500 Filmdosen von der Ladefläche und prasselten in einen schmalen Graben.

»Schmeißt die Räder hinten drauf, und dann schnell nach Hause!«, lachte Onkel Titus aus dem Fenster heraus.

Tante Mathilda winkte schon aufgeregt mit den Armen, als sie auf dem Schrottplatz eintrafen.

»Wo bleibt ihr denn nur?«, rief sie ihnen entgegen. »Unsere Nachbarin hat es mir als Erste berichtet: Big One in Rocky Beach — unvorstellbar. Beeilt euch — es gibt viel einzupacken! Ich habe alles längst vorbereitet. Die Sachen stehen bereits auf der Veranda.«

Tante Mathilda war ein Organisationstalent. In kürzester Zeit hatte sie es geschafft, eine komplette Strandküche zusammenzusuchen. Aus dem Keller schleppte sie weitere Töpfe und einen riesigen Kochlöffel.

»Steht nicht so rum! Das muss alles mit. Schließlich verbringen wir die Nacht am Strand. Ich werde mich um die Verpflegung kümmern.«

»Damit kannst du aber eine halbe Feuerwehrmannschaft satt kriegen«, grinste Onkel Titus und betrachtete den großen Stapel Bohnendosen.

»Genau dafür ist es gedacht. Auch wenn die ganze Erde auseinanderbricht — verhungern wird niemand.«

# Geiergespräche

Gemeinsam war der Transporter in wenigen Minuten vollgepackt.

»Ihr kommt hinten auf die Ladefläche!«, rief Onkel Titus. »Vorn ist kein Platz für alle. Aber das ist eine Ausnahme — haltet euch gut fest!«

Dann ging es los. Es war eigentlich ein strahlend schöner Tag und niemand konnte sich vorstellen, was auf sie zukommen sollte. Von der Küstenstraße bog ein schmaler Weg zum Pazifik ab. Hier stauten sich wieder die Autos in der heißen Mittagssonne.

»Zu Fuß sind wir schneller«, entschied Justus und die drei sprangen vom Pick-up auf den Sandweg.

Tante Mathilda winkte ihnen mit dem großen Kochlöffel hinterher. »Passt auf euch auf. In zwei Stunden gibt es Mittagessen.«

Auf dem Parkplatz herrschte das reine Chaos. Wieder stand Kommissar Reynolds mittendrin und versuchte die Autos zu dirigieren. Er hatte nun keine Trillerpfeife mehr und gab mit heiserer Stimme Kommandos. »Weiterfahren! Bis zum Ende weiterfahren! Nicht einschlafen da vorn!«

Weiter unten am Strand waren die Männer der Feuerwehr damit beschäftigt, große weiße Zelte im Sand aufzubauen.

»Wann holen Sie meinen Tarzan?«, hörten die drei plötzlich eine Stimme. Es war der alte Mann mit dem Rollstuhl. Helfer schoben ihn in den Schatten einer großen Palme.

Mister Porter hatte in der Zwischenzeit einen kleinen Klapptisch aufgestellt und stapelte Helme und Taschenlampen darauf. »Kommen Sie näher, meine Damen und Herren! Hier gibt es das Überlebens-Set für nur fünfundzwanzig Dollar. Zugreifen, und Sie erhalten gratis Kopfschmerztabletten.« Schnell bildete sich eine Schlange vor seinem Verkaufsstand.

Mittlerweile trafen auch Onkel Titus und Tante Mathilda ein. »Jungs, steht da nicht so rum! Sucht lieber Feuerholz und folgt mir an den Strand!«, rief Tante Mathilda den drei ??? entgegen. Onkel Titus mühte sich mit einem riesigen Topf ab, den er zum

Wasser schleppte. Es war der alte Waschkessel von Tante Mathilda.

Im Feuermachen waren die drei Detektive Profis. Schnell brannte lichterloh ein großer Holzhaufen. Anschließend stellten sie den Topf mitten in die Glut.

»Titus, du kannst schon mal anfangen, die Bohnendosen aufzumachen«, kommandierte Tante Mathilda. Mürrisch zog ihr Mann einen Öffner aus der Tasche. »Für heute habe ich genug von Dosen«, maulte er.

Allmählich waren die meisten Bewohner von Rocky Beach eingetroffen und die Lage entspannte sich.

Bob deutete zur Einfahrt des Parkplatzes. »Seht mal, da kommt noch so ein schwarzer Wagen.« Neugierig liefen die drei ??? darauf zu. ›Seismologische Messstation 09‹ stand auf dem großen Lastwagen. Kommissar Reynolds und Dr. Keppler standen davor und unterhielten sich. »Wir werden jetzt diesen zweiten Messwagen in die Stadt bringen«, hörten sie den Wissenschaftler sagen. »Wir haben die Station zusätzlich aus Los Angeles angefordert. Hier drin befindet sich die modernste Anlage zur Messung von Erdbebenaktivitäten.«

Kommissar Reynolds kratzte sich unter der Polizeimütze. »Wollen Sie etwa darin Big One abwarten?« Keppler schüttelte den Kopf. »Ich bin doch nicht lebensmüde. Nein, wir stellen ihn neben die andere Messstation und ich erhalte die aktuellen Daten über Funk auf meinem tragbaren Computer. In wenigen Minuten bringen wir den Truck in die Stadt. Anschließend hole ich persönlich meine beiden Fahrer wieder ab. Sagen Sie Ihren Beamten an der Stadtgrenze Bescheid, dass ich ungehindert durchfahren kann.«

»Sie müssen wissen, was Sie tun«, stöhnte der Kommissar.

Etwas weiter abseits standen die beiden Mitarbeiter von Dr. Keppler und bauten eine Satellitenschüssel auf.

»So ein Teil hat Onkel Titus auch neulich aufs Dach geschraubt. Seitdem bekommen wir zwei schwedische Sender rein«, bemerkte Justus und ging darauf zu.

»Nichts anfassen!«, ermahnte der Forscher mit der tiefen Stimme die drei und verschwand anschließend mit seinem Kollegen hinter dem Lastwagen.

Plötzlich entdeckte Peter ein Funkgerät auf dem Boden.

»He, das muss denen aus der Tasche gefallen sein«, vermutete er und hob es auf. Justus nahm es ihm aus der Hand. »Zeig mal her! Das ist ja ein uralter Apparat.«

In diesem Moment begann das Gerät zu rauschen

und eine leise Stimme krächzte aus dem Lautsprecher. »Geier an Adler. Die Stadt ist jetzt leer. Das dicke Baby kann kommen. Ende.«

»Was für ein dickes Baby?«, fragte Bob verwirrt. Wieder krächzte die Stimme. »Ich wiederhole: Baby 09 kann kommen. Die Geier warten schon ungeduldig aufs Beladen. Ende.«

Peter nahm Justus das Funkgerät wieder aus der Hand. »Das wird irgend so ein Fachchinesisch sein. Wir sollten jetzt schnell das Teil zurückbringen.« Doch Justus hielt ihn an der Schulter fest. »Warte! Baby 09 kann nur dieser Lastwagen sein. Aber was soll da beladen werden? Ich denke, der ist voll mit Computern und so.« Alle drei blickten nachdenklich zu dem schwarzen Truck. Plötzlich spürten sie, dass hier etwas Unheimliches vor sich ging.

# Transportprobleme

»Und was sollen wir jetzt tun?«, fragte Peter nervös. Justus dachte fieberhaft nach. »Ich habe ein ganz merkwürdiges Gefühl. Aber zu Kommissar Reynolds können wir nicht gehen — auf merkwürdige Gefühle gibt die Polizei nicht viel. Wir müssen uns Klarheit verschaffen, sonst machen wir uns lächerlich.«

»Und was schlägst du vor?«, wollte Bob wissen.

»Ich würde gern einen Blick in den Lastwagen riskieren. Mein siebter Sinn sagt mir, dass wir in dem Truck eine Antwort auf unsere Fragen finden. Los, das Funkgerät nehmen wir mit! Jetzt oder nie!« Justus ging so zielstrebig auf den schwarzen Lastwagen zu, dass seine beiden Freunde ihm ohne Widerspruch folgten.

Solange sie sich hinter dem Wagen aufhielten, konnte sie niemand vom Parkplatz aus sehen. Entschlossen zog Justus den Griff herunter und öffnete die große Flügeltür einen Spalt.

»Und, kannst du was erkennen?«, flüsterte Peter unruhig. Nur langsam gewöhnten sich Justus' Augen an die Dunkelheit. »Schwer zu sagen. Hier vorn ist alles mit schwarzen Decken abgehängt. Hilf mir mal rauf!« Peter machte eine Trittleiter und Justus krabbelte auf die Kante des Lastwagens.

»Ich brauch mal die Taschenlampe«, hörte man ihn von innen. Jetzt überkam auch Bob die Neugierde. »Warte, ich komme hinterher«, sagte er und verschwand ebenso im Truck.

Peter hingegen trommelte nervös mit den Fingern auf die Blechkante und hielt mit der anderen Hand die Tür fest. »Was ist denn nun? Ihr könnt mich doch nicht hier draußen allein versauern lassen?« Als er weitere zwanzig Sekunden nichts hörte, sprang er mit einem großen Satz in den Laderaum. Hinter ihm fiel die Flügeltür langsam zu. Nur noch durch einen winzigen Spalt kam Licht ins Innere.

Halb blind tastete er sich nach vorn. »Wo seid ihr?« Seine leise Stimme hallte blechern von den Wänden wieder. Plötzlich griff er in etwas Weiches, Hautartiges.

»Nimm die Finger aus meinem Gesicht!«, schimpfte Justus und knipste endlich eine Taschenlampe an. Peter stand schreckensbleich im grellen Lichtstrahl.

Jetzt blickten sich alle drei fassungslos um. Der ganze Wagen war leer. Nur einige Stapel auseinandergefalteter Pappkartons standen am Ende des Laderaums.

Bob fand als Erster die Sprache wieder. »Das sieht mir eher nach einem Umzugslaster als nach einer Messstation aus. Wo sind die ganzen Computer und so?«

»Diese Frage werden wir mal Dr. Keppler stellen«, erwiderte Justus mit fester Stimme.

Genau in dem Moment wurde die große Tür mit einem lauten Knall zugeschlagen.

»Verdammt! Welcher Idiot hat das Baby aufgelassen?«, hörte man von draußen eine Stimme leise fluchen. Erschrocken sahen sich die drei ??? an. Doch bevor sie reagieren konnten, riss es sie von den Beinen. Der Lastwagen hatte sich urplötzlich in Bewegung gesetzt.

Die Taschenlampe fiel Justus aus der Hand und rollte über den Boden. Nur mit Mühe konnten sie sich an den Haltegurten festklammern.

»Was machen wir jetzt?«, schrie Peter entsetzt. Justus und Bob wussten keine Antwort.

Es dauerte nicht lange und der Wagen fuhr ein

letztes Mal durch die tiefen Schlaglöcher des Sandweges. Dann wurden alle drei an die gegenüberliegende Blechwand geschleudert.

»Der ist auf die Küstenstraße eingebogen«, stöhnte Bob und suchte seine Brille. Die Taschenlampe rollte unterdessen direkt auf Justus zu. »Das war eine Linkskurve — bedeutet, wir fahren in Richtung Rocky Beach«, kombinierte er und schnappte sich die Lampe.

Sie waren diese Strecke schon hundertmal mit den Rädern gefahren und kannten somit jede einzelne Kurve.

»Der fährt jetzt genau auf den Marktplatz zu«, wusste Peter. »Sowie der anhält, reiß ich die Tür auf und springe aus der Karre.«

Justus knetete nervös seine Unterlippe. »Ich weiß nicht, das sollten wir lieber nicht tun. Eins steht fest, dieser Wagen ist keine Messstation. Und wenn ich die Sache weiterspinne, dann sind das da draußen auch keine Wissenschaftler. Das Ganze ist oberfaul.«

Bob war seiner Meinung. »Die ziehen hier irgendetwas Merkwürdiges ab. Das macht alles keinen Sinn. Wir sollten vorsichtig sein.«

Sie beschlossen, erst einmal im Wagen zu bleiben.

Peter hatte eine gute Orientierung. Der Truck fuhr tatsächlich über das Kopfsteinpflaster des Marktplatzes und kam dort zum Stehen. Von draußen hörten sie die Kirchturmuhr schlagen. Es war jetzt genau zwölf Uhr mittags. Justus hatte Hunger.

# Abhörprotokoll

Gespannt lauschten sie, wie der Motor abgestellt
und die Fahrertür geöffnet wurde. Schritte waren zu
hören.

»Das sind Männerstiefel«, flüsterte Bob und
presste sein Ohr an die Innenwand.

»Du Vollidiot! Wie konntest du dein Funkgerät
verlieren?«, schimpfte plötzlich eine tiefe Stimme.
»Ohne das Gerät stehen wir bis Weihnachten in dem
Mistdorf.«

Eine zweite Person entschuldigte sich. »Tut mir leid — das ist mein erster großer Coup. Der Doc wird uns aber schon holen, wenn wir uns nicht melden.«

»Der Doc wird noch was ganz anderes machen, wenn er das mit der Funke mitkriegt. In deiner Haut möchte ich nicht stecken.«

»Und wenn wir einfach zu Fuß aus der Stadt rauslaufen? Das Baby haben wir schließlich abgestellt und damit ist unsere Aufgabe ja wohl erledigt, oder?«

Der Mann mit der tiefen Stimme wurde jetzt ungehalten. »Du bist ja noch blöder, als du aussiehst. Die ganze Stadt ist ringsherum abgesperrt. Das ist wie eine Grenze. Kilometerlang rotes Flatterband. Was meinst du wohl, was passiert, wenn die Bullen sehen, wie wir so fröhlich aus der Stadt spazieren, hä? Die knallen uns am Ende noch ab. Die glauben, wir sind Plünderer.«

Dieses schien den Zweiten überzeugt zu haben. Lange Zeit sprach niemand mehr.

Doch nach einer Viertelstunde hörten die drei ???, wie ein Auto heranfuhr.

»Siehst du«, sagte die tiefe Stimme. »Auf den Doc kann man sich verlassen.«

Eine Wagentür wurde geöffnet und eilige Schritte näherten sich.

»Was ist los? Warum habt ihr euch nicht gemeldet?« Es war die Stimme von Dr. Keppler.

»Der Idiot hat die Funke verloren«, petzte die tiefe Stimme. Eine schallende Ohrfeige hallte über den Marktplatz und jemand schrie laut auf.

»Du Affenhirn! Willst du uns alle in den Knast bringen? Ich war von Anfang an gegen den Schwachkopf — jetzt haben wir den Salat. Ich kann nur hoffen, dass niemand das Funkgerät findet. Los jetzt, wir müssen zurück! Wir sind hinter unserem Plan. Wir haben nur fünf Stunden — danach wird unser falscher Alarm wie eine Seifenblase platzen. So doof sind die hier auch nicht. Ich kann nur hoffen, dass unsere Geier nicht auch noch Fehler machen.«

Anschließend stiefelten alle zurück zum Wagen und schlugen die Türen zu.

»Was für Geier?«, flüsterte Peter.

Bob fand ein winziges Loch in der Blechwand und

spähte hindurch. »Ich werde verrückt. Es ist die Karre von heute Morgen. Ja, sogar die Nummer stimmt. Null, Null, Acht sind die letzten Ziffern. Und wenn mich nicht alles täuscht, dann hocken neben Keppler die anderen beiden Typen in den weißen Overalls.« Den roten Sportwagen hatten sie in der Aufregung schon völlig vergessen.

Mit Herzklopfen warteten die drei ??? noch einige Minuten — dann öffneten sie von innen vorsichtig die Tür. Die grelle Sonne blendete.

Der Marktplatz lag einsam und verlassen vor ihnen. Wind wehte Kleider aus einem aufgerissenen Koffer. Jemand musste ihn in der Hektik auf der Straße verloren haben. Zwei Katzen näherten sich zögernd dem Brunnen und tranken gierig Wasser.

»Seht mal, da hinten steht der andere Mess-wagen immer noch auf seinem alten Platz«, sagte Peter und zeigte mit dem Finger in Richtung Polizei-revier.

Justus rutschte von der Ladekante. »An einen Messwagen glaube ich schon lange nicht mehr. Hinter der ganzen Sache steckt ein ausgeklügelter Plan.

Der eine eben faselte was von einem Coup — einem großen Ding. Mir kam dieser Keppler von Anfang an komisch vor.«

Bob folgte ihm aus dem Wagen. »Wir müssen sofort Kommissar Reynolds informieren — je schneller, desto besser.« Doch Peter hielt ihn von hinten fest. »Und wie willst du aus der Stadt kommen? Du weißt doch, was die Polizei mit Plünderern macht!«

»Blödsinn, wir sehen doch nicht aus wie Diebe«, widersprach Bob. Aber er wurde von den anderen beiden überstimmt.

Justus holte das Fernglas aus dem Rucksack. »Ich schlage vor, wir schleichen uns an die Stadtgrenze und peilen dort die Lage. Dann entscheiden wir weiter.«

Dicht an den Hauswänden entlang liefen sie geduckt die Hauptstraße Richtung Westen herunter.

Das letzte Haus der Stadt war das Pazifik Hotel. Es war eingerahmt von hohen Palmen und blühenden Oleandersträuchern.

»Los, wir schlagen uns seitlich in die Büsche«, flüsterte Justus. »Hinter dem Hotel ist ein kleiner Hügel.

Von dort kann man die Ausfallstraße von Rocky Beach einsehen.«

Das Pazifik Hotel besaß einen großen Pool mit kristallklarem Wasser. Auch hier hatten alle Gäste das Haus so schnell wie möglich verlassen müssen. Auf den Liegen lagen noch Handtücher und im Wasser trieb ein aufblasbares Plastikkrokodil. Bob wischte sich den Schweiß aus dem Gesicht und blickte sehnsüchtig auf das kühle Nass.

»Dafür ist jetzt keine Zeit!«, zischte Justus.

Die letzten Meter auf dem Hügel robbten sie auf dem Bauch vorwärts. Peter zeigte auf die Ausfallstraße. »Da, genau wie die Typen gesagt haben. Alles abgesperrt mit rotem Flatterband. Die lassen keinen rein.«

»Und vor allen Dingen niemanden ohne Weiteres raus«, ergänzte Justus. »Überall stehen Polizisten. Die müssen wegen den Plünderern extra welche aus Santa Barbara angefordert haben. Von denen kennt uns keiner. Das Risiko können wir unmöglich eingehen. Die sind bestimmt genauso nervös wie wir.«

Plötzlich hatte Peter eine Idee. »Mann, sind wir blöd. Warum rufen wir nicht einfach Kommissar Reynolds ...«, er sprach den Satz nicht aus. »Ich Trottel,

geht natürlich nicht. Die haben Strom und alles andere abgestellt.« Enttäuscht ließ er den Kopf hängen. Doch Justus klopfte ihm auf die Schulter. »Na klar. Die festen Telefone funktionieren nicht mehr. Aber was ist mit den Handys?«

# Badetag

Bob sah ihn gelangweilt an. »Super, aber seit wann besitzt du ein Handy?« Justus ließ sich nicht entmutigen. »Ich nicht. Aber bestimmt hat jemand eins im Hotel liegen lassen. Los, wir sehen nach!«

Peter fand eine rosa Handtasche am Pool. »Nur ein Portemonnaie voller Geld und eine goldene Uhr!«, rief er enttäuscht und legte alles wieder zurück.

Anschließend versuchten sie in das Hotel zu gelangen, doch selbst die Türen auf der Rückseite waren verschlossen. Nachdenklich betrachtete Bob das Schwimmbad. »Ich weiß jetzt, wie wir reinkommen. Seht mal, man kann von draußen durch einen schmalen Wassergang direkt ins Hotel schwimmen. Die haben da drin bestimmt noch einen Pool für kalte Tage. Los, da geht's lang.«

Justus war nicht begeistert von dem Plan. »Moment, dann müssen wir ja ins Wasser — aber ohne Badehosen? Was ist, wenn uns einer im Hotel über den Weg läuft?«

Peter und Bob mussten über Justus' Bedenken lachen. Sie warfen ihre Sachen über einen Liegestuhl und sprangen kopfüber ins Wasser.

»Was ist, sollen wir ohne dich das Hotel untersuchen?«, rief Bob und spritzte Justus mit einer Ladung Wasser voll. »Mann, wir sind hier die Einzigen oder hast du das vergessen? Rocky Beach ist eine Geisterstadt.«

Ganz allein wollte Justus auch nicht zurückbleiben und so folgte er den beiden ohne Kleidung in den Pool.

In dem schmalen Gang war es nicht sehr tief, so dass man stehen konnte. Vorsichtshalber nahm Justus das aufblasbare Krokodil mit und hielt es sich vor den Bauch.

Bob hatte richtig vermutet. Der Wassergang führte tatsächlich in einen weiteren Pool im Inneren des Hotels. Neben einer kleinen runden Bar lagen aufgestapelte schneeweiße Bademäntel. Darüber stand ein Schild: ›Nur für Hotelgäste‹.

»Das sind wir doch jetzt auch«, grinste Bob und zog sich einen der flauschigen Mäntel über. Auch Justus tauschte eilig einen gegen sein Krokodil.

Anschließend betraten sie tropfnass die prächtige Eingangshalle. Die Bademäntel waren ihnen viel zu groß und schleiften auf dem Marmorboden hinterher. Peter untersuchte den Tresen der Rezeption. »Also hier liegt schon mal kein Handy herum und die normalen Telefone sind tot. Nicht mal ein Freizeichen ist zu hören.«

Aus dem Speisesaal duftete es nach frischen Brötchen. Das Hotelpersonal hatte bei der Räumung anscheinend keine Zeit gehabt, das Frühstücksbuffet abzudecken. Justus wurde vom Geruch gebratenen Specks und Rühreiern magisch angezogen. Die steinharten Kekse hatte er schon längst aufgegessen.

»Vielleicht hat jemand sein Handy auf dem Esstisch liegen lassen«, murmelte er vor sich hin. Peter und Bob ahnten, was er vorhatte.

Kurz darauf standen sie vor dem langen Buffet und schlugen sich die Bäuche voll.

Hier gab es alles, was man sich für ein luxuriöses Frühstück nur wünschen konnte. Justus hielt einen gekochten Hummer in die Luft. »Das ist nicht strafbar«, schmatzte er mit vollem Mund. »Schließlich ist die Stadt im Notstand. Und außerdem schmeißen die morgen sowieso alles weg.«

Doch die anschließende Suche nach einem Handy blieb erfolglos. Weder auf den Zimmern noch in den anderen Sälen hatte jemand sein Mobiltelefon liegen lassen. Enttäuscht schwammen sie wieder den Gang entlang nach draußen und zogen sich an. Danach kehrten sie zum Marktplatz zurück.

Der war menschenleer. Krähen hockten auf den Dächern und eine Ratte zwängte sich durch einen Spalt von Porters zugenageltem Schaufenster.

Rocky Beach war eine Geisterstadt.

Plötzlich vernahmen sie einen lauten hellen Schrei.

»Was war das?«, rief Peter erschrocken. Weitere Schreie folgten. Nervös blickten sich die drei um.

»Klingt wie ein kleines Kind oder so«, vermutete Justus.

Bob war empört. »Das kann ich nicht glauben. Die Leute denken an ihr Handy — ihr Kind vergessen sie aber einfach.«

Sie versuchten herauszubekommen, aus welcher Richtung die Schreie kamen. Dann machte Peter eine Entdeckung. »He, seht mal dort oben! Das gelbe Haus neben dem Revier!«

Justus und Bob rissen die Köpfe hoch. Sie blickten auf ein halb geöffnetes Fenster im zweiten Stock. Hinter der Scheibe sprang aufgeregt ein kleines Äffchen herum und schrie, so laut es konnte.

»Das ist also der Schreihals«, sagte Bob erleichtert. »Und wisst ihr, wer das sein muss? Tarzan! Der alte Mann im Rollstuhl wollte doch ohne ihn nicht die Stadt verlassen. Los, helfen wir dem Affen herunter!«

Das kleine Totenkopfäffchen presste sein Gesicht aufgeregt gegen die Scheibe. Es schien zu ahnen, dass ihm geholfen werden sollte.

Neben Porters Laden befand sich seit kurzer Zeit eine Baustelle. Auf dem Grundstück sollte das neue Bankgebäude entstehen. Tagelang hatte ein Bagger die über sechs Meter tiefe Baugrube ausgehoben. Hier unten im Kellergeschoss plante man einen sicheren Tresorraum. Eine Leiter war der einzige Zugang hinunter in die Grube. Auf dem matschigen Boden hatte sich Grundwasser gesammelt.

Peter betrachtete die Leiter. »Damit kommen wir bestimmt bis in den zweiten Stock«, hoffte er.

Misstrauisch beäugte der kleine Affe die Leiter, als sie vorsichtig gegen das Fenster gelehnt wurde.

»Nun komm schon, du Affe«, lachte Bob. »Ich denke, Affen können gut klettern — besonders wenn sie Tarzan heißen.«

Doch obwohl sie ihm minutenlang gut zurede-

ten — Tarzan traute sich nicht. Nach einer Weile griff Justus in seine Hosentasche und beförderte ein halb aufgeweichtes Schinkenbrötchen zum Vorschein. Er hatte es sich als Notration im Hotel eingesteckt. Das Lockmittel schien zu wirken. Mit hungrigen Augen erklomm das Äffchen die Leiter und rannte wieselflink hinunter. Blitzschnell sprang es dann Justus in die Arme und schnappte sich das Brötchen.

»Tarzan muss richtig Hunger gehabt haben — und er steht auf Schinken«, grinste Justus. Er wusste, wie schrecklich Hunger sein konnte.

# Der große Coup

Von nun an wich ihm der Affe nicht mehr von der Seite. Vergnügt saß er auf Justus' Schulter, zog an seinen Haaren und fraß das Brötchen auf.

Als die drei die Leiter wieder in die Baugrube zurückstellten, schlug die Kirchturmuhr gerade eins. Doch gleichzeitig mit dem Glockenschlag klickte das Türschloss eines Autos. Justus, Peter und Bob rissen die Köpfe herum und starrten auf das umgebaute Wohnmobil. Langsam schob sich die Seitentür der Messstation 07 auf.

»Los, weg«, zischte Peter erschrocken und rannte über das Kopfsteinpflaster. Blitzschnell versteckten sie sich hinter dem Brunnen und spähten vorsichtig über den Marktplatz.

Die Schiebetür wurde jetzt ganz aufgezogen. Stimmen waren zu hören. »In der Mistkarre sind es mindestens vierzig Grad. Da werde ich dem Doc noch einiges zu erzählen haben«, keuchte jemand.

Dann wurde ein großer Sack aus Segeltuch aus

dem Wagen geworfen. Es schepperte gewaltig. Dem Sack folgte ein Mann. Er hatte sein Hemd ausgezogen und schwitzte am ganzen Körper. Auf dem

Rücken trug er eine riesige Tätowierung — es war ein Totenkopf.

»Warte auf mich, Eddy!«, rief eine zweite Stimme von innen. »Mir sind die Beine eingeschlafen. Enger als eine Mülltonne hier drin. Eine Knastzelle ist eine Turnhalle dagegen.«

Ein unrasierter Mann in einem bunten Hawaii-hemd kam zum Vorschein. Er setzte sich eine Sonnenbrille und einen speckigen Strohhut auf. Unter seinen Armen hatten sich feuchte Schweißränder gebildet.

»Beeil dich, Sancho!«, sagte Eddy und faltete ein Papier auseinander. »Wir haben nur fünf Stunden, dann muss das Baby voll sein. Hier, auf dem Plan vom Doc, ist auch die Bank eingezeichnet. Los, damit fangen wir an!«

Eddy und Sancho hoben den Segelsack auf und bewegten sich direkt auf das alte Bankgebäude zu.

»Was haben die vor?«, fragte Peter aufgeregt. Doch als die beiden Männer eine große Brechstange aus dem Sack zogen, ahnten die drei ???, was nun folgen würde. Brutal rammte Sancho das schwere Eisen ins Türschloss.

»Jetzt wird mir alles klar«, verfinsterte sich Justus' Gesicht. »Das ist also der Plan von Dr. Keppler. Wahrscheinlich haben die fünf Typen seit Wochen auf so ein kleines Erdbeben wie heute Morgen gewartet. Dann ist die Angst vor dem Big One immer am größten. Erst sollte die ganze Stadt wegen des vermeintlichen Bebens geräumt werden und danach schlagen diese beiden schmierigen Geier zu. Die müssen sich von Anfang an in dem Wohnmobil versteckt gehalten haben. Jetzt können sie in Rocky Beach tun und lassen, was sie wollen.«

Und das taten die beiden Kriminellen auch.

Immer wieder stemmten sie sich mit Gewalt gegen das Brecheisen, bis das Türschloss krachend auseinanderbrach. Holzsplitter und Eisenstücke verteilten sich auf dem Boden — dann war die Tür auf.

»Yippieije ...!«, schrie Sancho begeistert und spuckte in die Hände. »Jetzt knacken wir das Sparschwein von dem verlausten Nest. Her mit den lieben Dollarscheinen!« Anschließend verschwanden sie in der Bank.

Bob war entsetzt. »Ich fasse es nicht. Die räumen am helllichten Tag die Bank aus. Und das Schlimmste ist, wir gucken zu und können nicht mal die Polizei anrufen. Das ganze Revier sitzt jetzt am Strand in der Sonne und löffelt Tante Mathildas Bohnensuppe.«

Fieberhaft dachten sie darüber nach, wie sie eingreifen konnten.

Plötzlich durchbrach ein lauter Knall die Stille. Krähen erhoben sich kreischend von den Dächern und Tarzan rannte fluchtartig in eine Seitengasse.

»Big One!«, platzte es aus Peter heraus.

Bob schüttelte den Kopf. »Unsinn, ich weiß, was das war. Die Typen haben den Tresor aufgesprengt.«

Allmählich ahnten sie, in welche Gefahr sie sich begeben hatten.

»Wären wir doch bloß nicht in diesen blöden Lastwagen gestiegen«, stöhnte Peter. »Ich kann mir auch denken, wofür der gebraucht wird. Irgendwie müssen die ja ihre Beute transportieren.«

Mit seiner Vermutung lag er richtig. Sancho und Eddy kamen mit zwei großen Plastiksäcken zurück und schmissen sie in den schwarzen LKW.

»Wir brauchen auch ein paar Kisten!«, rief Eddy und warf einige Pappkartons heraus. »Doc's Devise lautet: Nur nichts verkommen lassen. Die schönen Computer und das ganze Zeug nehmen wir natürlich mit.«

Von nun an kamen sie nacheinander immer wieder beladen aus der Bank heraus. Nervös strich Justus sich durch die Haare. »So ein Mist. Einer von ihnen ist immer auf dem Marktplatz. Wir können nicht abhauen, ohne dass sie uns entdecken.«

In diesem Moment krächzte die Stimme von Dr. Keppler über den Platz. Doch man hörte ihn gleich zweimal. Zum einen aus dem Funkgerät, das Eddy am Gürtel trug, und zum anderen aus dem Apparat, den Peter auf dem Parkplatz gefunden hatte. Dieser lag die ganze Zeit im Rucksack.

»Hier spricht Adler. Adler an Geier. Hört ihr mich? Wie voll ist das Baby?«

»Schnell, mach den Kasten aus!«, zischte Bob entsetzt. Mit zitternden Händen fummelte Peter das Funkgerät aus dem Rucksack.

»Geier, was ist los? Meldet euch! Hier am Strand ist alles okay. Nur so eine Schreckschraube nervt mit ihrer Suppenküche. Die will unbedingt in die Stadt und neue Bohnendosen holen. Hallo?«

Den drei ??? platzte fast der Kopf vor Aufregung. Panisch hämmerten sie auf dem Apparat herum. Endlich fielen die Batterien heraus und Dr. Kepplers Stimme verstummte.

Doch es war zu spät. Misstrauisch blickten Sancho und Eddy über den Marktplatz.

»Sag mal, hab ich was an den Ohren oder höre ich hier die ganze Zeit ein Echo?«, fragte der Mann mit der Tätowierung. Sancho spuckte auf den Boden und zeigte in Richtung des Brunnens. Blitzschnell zogen die drei ??? ihre Köpfe ein.

»Du hast recht, Eddy. Von dahinten habe ich die plärrende Stimme vom Doc gleich noch mal gehört. Komm mit, wir gucken nach!«

Justus, Peter und Bob stockte der Atem.

# In der Falle

Sie hatten keine Chance mehr. Immer näher kamen die Schritte der beiden Bankräuber. Justus versuchte erst gar nicht mehr über einen Ausweg nachzudenken — es gab keinen.

Zunächst rochen sie nur das verschwitzte Hemd von Sancho, dann beugte sich seine hässliche Visage über den Brunnenrand. »Wen haben wir denn da? Drei kleine Ratten leisten uns Gesellschaft. Wollt ihr mit uns Räuber und Gendarm spielen?«

Nun kam auch Eddy dazu. »Was sind das denn für Pinscher? Ich denke, die Stadt ist leer? Was habt ihr hier zu suchen?«

Justus versuchte zu antworten, aber aus seiner Kehle kam nur ein trockenes Krächzen.

»Sancho, was ist das für ein Bockmist? Kann mir mal einer erklären, woher diese Kinderköpfe plötzlich kommen?« Er packte Peter an den Ohren und zog ihn hoch.

»Lassen Sie uns laufen, wir haben nichts gesehen und werden nichts sagen«, stammelte er.

Sancho hob die Hände in die Luft. »Ach, wenn das so ist. Dann bitte ich vielmals um Entschuldigung. Na, dann geht mal schön brav los, aber erzählt bitte, bitte nichts zu Hause. Großes Indianerehrenwort, oder?«

Irritiert legten alle drei ihre Hand aufs Herz und nickten erleichtert mit den Köpfen.

Doch dann veränderte sich schlagartig der Tonfall von dem Mann im Hawaiihemd. »Wollt ihr mich für dumm verkaufen? Natürlich lassen wir euch nicht laufen. Ihr habt doch alles mitbekommen. Haltet ihr uns für so blöd? Eddy, was sollen wir mit ihnen machen?«

Dieser strich sich durch die gegelten Haare. »Keine Ahnung. Oder vielleicht doch: Am besten schmeißen wir sie in den Brunnen und lassen sie ersaufen.«

Peter sah ihn fassungslos an. »Das ... das können Sie nicht machen!«, stotterte er.

Sancho spuckte auf den Boden. »Du hast recht, das geht nicht — viel zu flach, das Wasser.«

Er fand den Witz köstlich und sein dreckiges Gelächter hallte über den leeren Marktplatz.

»Adler an Geier, was ist los mit euch? Bitte melden!«, krächzte wieder die Stimme von Dr. Keppler. Eddy nahm das Funkgerät in die Hand. »Geier an Adler, wir haben drei kleine neugierige Ratten in der Stadt aufgegabelt. Was sollen wir mit ihnen anstellen?«

»Was für Ratten, verdammt noch mal?«

»Na, eben kleine Kinder. Sollen wir die in den Brunnen werfen?« Wütend brüllte der falsche Doktor zurück. »Habt ihr den Verstand verloren? Schnappt euch die Gören und sperrt sie in den Knast. Auf dem Revier wird es ja wohl ein anständiges Gefängnis geben. Dann haben wir die Zwerge für eine Weile vom Hals — kann mir übrigens schon denken, wen ihr da aufgefischt habt. Ende und aus.«

Eddy ließ Peters Ohr wieder los. »Dann vorwärts mit euch!« Doch Sancho hatte anscheinend etwas anderes mit ihnen vor. »Moment mal, wieso sollen wir eigentlich in der Sonne schuften und diese drei kleinen Hampelmänner machen es sich in der Zelle gemütlich?« Eddy sah ihn mit großen Augen an. »Ja, und? Sollen wir jetzt lieber in den Knast?«

Sancho nahm die Sonnenbrille ab. »Mann! Die Hitze hat dein Hirn ausgetrocknet. Nicht wir sollen in den Knast — die sollen uns beim Schleppen helfen.«

Jetzt hatte Eddy verstanden. »Na klar. Kräftig

genug sehen die ja aus. Danach können wir sie immer noch einsperren.«

Die drei ??? wurden in die Bank geführt. Der Schalterraum war verwüstet und ihnen stieg beißender Qualm entgegen.

»Ja, das hat ordentlich gerumst hier«, lachte Sancho. »Aber so ein Tresor geht nicht mit guten Worten auf — da braucht man schon eine schöne Ladung Dynamit.«

Ein kurzer Flur führte direkt in den Tresorraum. Die schweren Beschläge der Stahltür waren von der Explosion einfach zur Seite gebogen worden.

Eddy deutete auf mehrere Säcke, die am Boden lagen. »Hier, damit fangt ihr an! Die sind voll mit Hartgeld. Die Scheine haben wir natürlich schon längst ins Baby gebracht. Mit den Münzen könnt ihr euch abschleppen.«

Sein Kumpane klopfte ihm anerkennend auf die Schulter. »Richtig so, Eddy. So spricht man mit neugierigen Ratten. Ich sehe, du lernst dazu.«

Wortlos packten die drei Detektive die Säcke an und trugen sie zähneknirschend zu dem schwarzen

Lastwagen. Sancho und Eddy brachen in der Zwischenzeit einen Geldautomaten neben dem Bankschalter auf. Dennoch ließen sie die drei ??? keinen Moment aus den Augen. »Spielt jetzt nur nicht die Helden!«, warnte sie Sancho eindringlich.

# Millionenraub

Es war Samstag und die Bank hatte sich anscheinend mit viel Bargeld eingedeckt. Justus ging wieder zurück in den Tresorraum und griff sich den nächsten Sack. Dieser war leichter als der erste. Hier im Tresor konnte man ihn nicht beobachten. Blitzschnell öffnete er den Sack und blickte auf funkelnde Ein-Dollar-Münzen. Doch unter diesen schimmerte es grünlich. Justus wühlte hastig in den Münzen und

entdeckte gebündelte Einhundert-Dollar-Scheine. Sancho und Eddy hatten diese anscheinend übersehen. Ohne weiter darüber nachzudenken, packte Justus ein Bündel nach dem anderen und versteckte die gesamten Scheine unter einer Blechplatte, die sich bei der Sprengung von der Wand gelöst hatte.

Als er den Sack wieder zuknotete, kamen gerade seine beiden Freunde zurück.

»Was machst du denn da?«, flüsterte Peter angsterfüllt. Justus schüttelte den Kopf und legte eindringlich den Zeigefinger auf seine Lippen.

»He, was ist los dahinten?«, brüllte Eddy. »Ihr sollt da nicht rumquatschen! Sancho, mir wird die Sache mit den Gören zu heiß. Lass es uns lieber so machen, wie der Boss gesagt hat. Im Knast können die uns nicht in die Suppe spucken.«

Sancho willigte ein. »Okay, die schweren Säcke haben sie sowieso schon rausgeschleppt. So, Feierabend für heute. Jetzt geht's ab in den Knast, Jungs!«

Kurze Zeit später brach krachend das Türschloss des Polizeireviers auseinander. »Das ist mir ein feines Brecheisen«, strahlte Sancho und küsste die rostige

Eisenstange. Eddy schubste die drei ??? vor sich her in die Eingangshalle der Wache. Dort, wo sonst pausenlos die Telefone klingelten und Beamte hektisch über die Flure rannten, herrschte jetzt eine gespenstische Stille.

»Ist schon komisch«, murmelte der Mann mit dem Totenkopf etwas beunruhigt. »Ich hatte nie gedacht, dass ich mal bei den Bullen einbrechen muss.«

Die Gefängniszellen lagen im Untergeschoss. Von einem langen Flur aus gingen auf beiden Seiten die Zellen mit den Gittertüren ab. Sancho ließ das Brecheisen an den Stäben entlangklappern. »So, meine lieben Freunde, ihr dürft euch eine Zimmernummer aussuchen. Ihr habt die freie Auswahl. Jetzt seht ihr mal, wie das ist, wenn man gesiebte Luft durch die Gitterstäbe atmen muss.« Wieder begann er unangenehm zu lachen.

Die drei Detektive wurden in der Zelle Nummer sechs auf eine Pritsche geworfen. Die Luft war stickig und nur ein dünner Sonnenstrahl gelangte durch das vergitterte Kellerfenster. Mit Schwung schlug

Sancho die Tür zu, sperrte das Schloss gründlich ab und warf den Schlüssel weit weg in eine andere Zelle. »Wir wünschen einen angenehmen Aufenthalt und beehren Sie uns bald wieder.« Der verschwitzte Mann war wieder mal der Einzige, der über seinen Witz lachen konnte. Die beiden Gangster verschwanden nach oben.

Mutlos saßen die drei ??? auf dem schmalen Bett.

»Das war's«, begann Bob. »Wir haben das Spiel verloren. Die können jetzt in Ruhe die Stadt plündern und wir sitzen im Gefängnis. Verkehrte Welt, würde ich sagen. Über einen Ausbruch brauchen wir erst gar nicht nachzudenken — das haben vor uns schon ganz andere versucht.«

Peter rüttelte vorsichtig an der Tür. Es war hoffnungslos.

Minutenlang starrten sie gegen die weiß getünchte Wand. Jemand hatte vor ihnen viele kleine Striche in den Putz geritzt.

»Vierundachtzig!«, zählte Peter. »So viele Tage will ich hier drin aber nicht sitzen.« Justus versuchte ihn aufzumuntern. »Ach was, morgen ist die ganze

Sache vorbei und Kommissar Reynolds holt uns raus.
Die Typen sind dann allerdings über alle Berge.«
Dann berichtete er von dem Sack mit den Geldschei-
nen. Peter war entsetzt. »Bist du wahnsinnig? Was
meinst du, was passiert wäre, wenn die dich erwischt
hätten?«

»Haben sie aber nicht. So ist zumindest ein bisschen von dem ganzen Geld gerettet.«

Aber auch Bob hatte nicht nur Säcke geschleppt.
Grinsend zog er ein gefaltetes Stück Papier aus der

Hosentasche. »Nun seht mal, was ich den Typen geklaut habe! Dieser Eddy hat den Zettel auf dem Tresen in der Bank liegen lassen. Jetzt habe ich ihn. Es ist ein Plan von Rocky Beach. Keppler hat darauf alle Häuser mit einem Kreuz markiert, die geplündert werden sollen.«

Doch richtig freuen konnte Justus dies nicht. Denn zu allem Übel begann in diesem Moment sein Magen zu knurren. Allein der Gedanke an die lange Zeit in der Zelle bereitete Justus schlagartig Hungergefühle. Er griff in seine Hosentasche und beförderte ein aufgeweichtes Schinkenbrötchen zum Vorschein.

»Du hast dich ja im Hotel richtig eingedeckt«, grinste Bob. Justus legte das Brötchen auf einen kleinen Tisch. »Wir werden uns den Proviant einteilen. Wer weiß, wie lange wir hier sitzen müssen. Mehr Brötchen habe ich nicht.«

Doch es fiel ihm sichtlich schwer, dem Geruch von geräuchertem Schinken zu widerstehen.

Plötzlich hörten sie über sich einen freudigen Aufschrei.

# Tarzanschrei

Diesmal erschraken sie nicht, denn die Schreie kamen ihnen sehr bekannt vor.

»He, seht mal, wer sich von draußen durch die Fenstergitter quetscht!«, rief Peter überrascht. »Tarzan, komm hierher!«

Das kleine Totenkopfäffchen war genauso froh, die drei wiederzusehen. Noch mehr freute es sich aber über das Schinkenbrötchen auf dem Tisch. Der Geruch hatte es anscheinend angelockt. Noch ehe Justus es in Sicherheit bringen konnte, schnappte das Tier den einzigen Proviant und sprang Peter in die Arme.

»Jetzt haben wir nicht mal mehr was zu essen«, stöhnte Justus. Es gab weniges, das ihn aus der Ruhe bringen konnte — Hunger war eines davon.

Nachdem Tarzan sich satt gefressen hatte, begann der Affe herumzuturnen. Mühelos gelang es ihm, durch die Gitterstäbe zu klettern und zwischen den Zellen hin und her zu jagen.

»Der hat wirklich Glück. Den kann man hier nicht einsperren«, bemerkte Peter. »Ich hab mal einen Film gesehen, da hat so ein Affe durch die Lüftungskanäle Juwelen geklaut. Der wurde extra dafür dressiert.«

Plötzlich vergaß Justus seinen Hunger. »Moment mal, warum sollte der Affe nicht das Gleiche für uns schaffen?«

Peter sah seinen Freund verwundert an. »Wie, Tarzan soll für uns Juwelen klauen?«

»Quatsch, der soll uns den Schlüssel für die Tür holen.«

Peter und Bob waren begeistert von der Idee. Sofort versuchten sie, dem Äffchen mit Händen und Füßen zu erklären, was es anstellen sollte.

»Nun sei ein lieber Affe. Bring das Schlüsselchen zu Papa!«, begann Bob. »Sei ein ganz lieber, braver Affe!«

»Hör auf damit!«, lachte Peter. »Das ist doch kein Baby.« Doch auch ihm gelang es nicht, sich verständlich zu machen. Tarzan freute sich nur, dass jemand mit ihm spielte und schaute neugierig zu ihnen rüber.

Es half nichts, so sehr sie Tarzan auch zuredeten, den Schlüssel rührte er nicht an. Nach einer Viertelstunde riss Justus der Geduldsfaden. »Du blöder Affe! Bring jetzt sofort den verdammten Schlüssel, sonst kommst du in die Suppe von Tante Mathilda!«, rief er wütend. Verdutzt blickte Tarzan ihn an. Er senkte den Kopf und strich sich mit seiner Hand über die Schnauze. Dann rannte er zielsicher zu dem

Schlüssel in Zelle acht, packte ihn und legte diesen anschließend Justus vor die Füße. Seinen beiden Freunden stand der Mund offen. »Ich werde verrückt«, staunte Bob. »Just kann mit Affen sprechen.«

Nun ging alles sehr schnell. Peter nahm den Schlüssel, griff durch die Stäbe und sperrte das Schloss auf. »Endlich frei!«, jubelte er.

Quietschend öffnete sich die schwere Gittertür.

Justus ging als Erster. »Wir müssen vorsichtig sein. Diesmal sind wir den Typen einen Schritt voraus. Solange sie glauben, dass wir noch in der Zelle hocken, sind wir im Vorteil.«

Oben angekommen schlichen sie zum Fenster und riskierten einen Blick über den Marktplatz. Gegenüber entdeckten sie die beiden Plünderer, wie sie die Bretter von Porters Laden abrissen. Sancho schien über den leichten Einbruch höchst erfreut zu sein und schlug sich lachend auf die Oberschenkel.

Bob deutete auf den schwarzen Lastwagen. »Die haben ganze Arbeit geleistet. Die Karre ist schon halb voll mit Kartons. Doch Achtung! Köpfe weg! Sie kommen zurück aus dem Laden.«

Durch den dünnen Vorhang beobachteten die drei Detektive, wie Eddy mit der schweren Registrierkasse von Mister Porter durch das kaputte Schaufenster stieg. Sancho trug kistenweise Elektroartikel auf dem Arm.

»Wir können doch nicht einfach zusehen, wie die Rocky Beach komplett ausräumen!«, flüsterte Bob wütend. »Kommt, wir suchen das Revier ab, vielleicht finden wir hier ein Handy.«

Aber sie hatten kein Glück. Das einzige Mobiltelefon lag mit leerem Akku im Schreibtisch von Kommissar Reynolds.

»Das passt zu ihm«, murmelte Peter.

Vom Kirchturm läutete es drei Uhr. Beim dritten Schlag schnippte Bob mit den Fingern. »Bingo! Wenn wir Reynolds nicht anrufen können, dann geben wir ihm ein Zeichen mit der Glocke. Die hört man bis zum Strand.«

Justus wusste sofort, was Bob vorschwebte. »Das ist es! Wir müssen irgendwie in den Kirchturm gelangen. Denn wenn die Glocke plötzlich wild anfängt zu läuten, weiß jeder, dass in der Stadt etwas

Merkwürdiges vor sich geht. Die Turmuhr hat noch niemals falsch gebimmelt.«

»Und wie willst du an den Typen vorbeikommen?«, fragte Peter. »Ich habe keine Lust, denen noch mal in die Arme zu laufen. Wir brauchen einen todsicheren Plan, sonst bleib ich lieber im Knast.«

Um zur Kirche zu gelangen, musste man die Hauptstraße überqueren. Dort gab es nichts, wohinter man sich verstecken konnte. Die Gefahr, entdeckt zu werden, war sehr groß. Zusammen überlegten sie, wie man die Gangster für eine Weile ablenken konnte.

»Was ist mit Tarzan?«, begann Bob. »Vielleicht hilft der uns noch einmal aus der Patsche. Just, unser einzigartiges Sprachtalent, spricht doch fließend die Affensprache.«

Justus fand das überhaupt nicht witzig. »Ha, ha, ha! Deine Affenidee hat nur einen Haken: Was ist, wenn Tarzan die Typen nicht weglockt, sondern am Ende noch zu uns führt?«

Seine Bedenken überzeugten die anderen beiden.

Gegenüber wurde das Schaufenster des Juweliers eingeschlagen. Die Zeit drängte.

# Scherbenhaufen

Nachdenklich blickte Justus über den Platz. »Lange dürfen wir nicht mehr auf dem Revier bleiben. Ich könnte mir vorstellen, dass uns die beiden bald einen Kontrollbesuch abstatten. Dann sieht es für uns nicht gut aus.«

Sie untersuchten das Gebäude und entdeckten im hinteren Teil der Polizeiwache einen Notausgang. Die Tür ließ sich nur von innen öffnen und wenig später standen die drei ??? in einem kleinen Hof. Doch neben einigen verdreckten Fenstern gab es keine weiteren Türen.

Peter blickte sich um. »Fehlanzeige. Hier kommen wir auch nicht raus — ringsum Mauern.« Tarzan saß immer noch vergnügt auf seinen Schultern und spielte mit Peters Haaren. »Jetzt sitzen wir in der Falle. Vorn stehen die Gangster und hinten sind wir eingemauert.«

Plötzlich hob Justus einen Stein auf und ging zu einem der Fenster. »Dann haben wir keine andere

Wahl. Besondere Situationen erfordern besondere Maßnahmen.« Viele seiner Sprüche hatte er von Onkel Titus.

»Was hast du vor?«, fragte Bob. Justus deutete wortlos auf die Scheibe und die andern beiden wussten sofort, an welche Maßnahmen er dachte.

»Aber was ist, wenn Sancho und Eddy mitbekommen, wie das Glas zersplittert?«, gab Peter zu bedenken.

»Das Risiko müssen wir eingehen. Außerdem glaube ich nicht, dass man das aus dem Innenhof bis auf die Straße hören kann.«

Bob nickte zustimmend. »Ich sehe das genauso. Aber wenn es nun sein muss, dann will ich die Scheibe einschmeißen. Das wollte ich schon immer mal machen.« Justus hatte nichts dagegen und übergab ihm den kleinen Brocken.

Sekunden später krachte der Stein in die Scheibe. Natürlich standen die drei ??? weit genug von den Glassplittern weg. Peter konnte nun durch das eingeschlagene Loch greifen, einen Hebel von innen herunterdrücken und das Fenster öffnen.

»Dann mal hereinspaziert. Aufpassen, hier liegen lauter scharfe Scherben herum.«

Sie gelangten in einen kleinen dunklen Raum. Überall stapelten sich Kartons und große Plastikkisten.

»Das scheint eine Art Lagerraum zu sein«, vermutete Justus. Doch als sie eine schmale Tür öffneten, wussten sie, wo sie gelandet waren.

Bob war begeistert.

»Wir sind in Mister Hilmers Spielzeugladen eingebrochen. Guckt euch das an! Freie Auswahl — davon hab ich mein ganzes Leben lang geträumt.« Mister Hilmers Geschäft lag genau neben der Wache. Aber auch hier trennte sie die Hauptstraße von der Kirche. Hinter ihnen fiel die schmale Tür wieder zurück ins Schloss.

»Nicht so laut!«, zischte Justus. »Vergiss nicht, was wir vorhaben! Wir suchen immer noch eine Möglichkeit, wie wir die Gangster ablenken können.« Bob kümmerte sich aber gerade um andere Dinge und sah sich in der Modellbauabteilung um. »He, kommt schnell her! Guckt euch mal an, was ich entdeckt habe!«

Als Justus und Peter zu ihm liefen, hielt dieser ein großes Modellauto in der Hand. »Wahnsinn, das ist der neue Polizeiwagen mit computergesteuerter Funkfernbedienung. Das Teil kann zweiundzwanzig Aktionen gleichzeitig ausführen. Absolut nagelneu.«

Justus konnte es nicht fassen. »Was? Du spielst mit einem Auto, während draußen die fiesesten Verbrecher herumlaufen?«

Etwas beschämt legte Bob das Polizeiauto wieder zurück ins Regal. Doch jetzt nahm Peter das Spielzeug in die Hand. »Zweiundzwanzig Aktionen gleichzeitig?«, fragte er nach.

»Na klar. Sogar mit Sirene, Blaulicht und Minikamera. Es gibt von der Serie auch einen Jeep und ein Marsmobil. Die fahren über dreißig Sachen.«

Justus war außer sich. »Jetzt reicht es aber! Erzählt die Geschichten dem Weihnachtsmann — der soll das dann unter euren Tannenbaum legen!«

Peter dachte aber an etwas ganz anderes. »Das meine ich nicht. Ich hab da so eine Idee für ein Ablenkungsmanöver.« Dann verkündete er seinen Plan. »Stellt euch mal vor, den beiden Typen fahren plötzlich diese ferngesteuerten Autos vor die Füße. Vor Schreck werden denen garantiert die Augen aus dem Kopf fallen. Wir können uns hinter dem Fenster verstecken und die Dinger von dort aus mit der Fernbedienung hin und her lenken. Ich wette, Sancho und Eddy laufen den Wagen hinterher — das ist dann unsere Chance, zum Kirchturm zu rennen.«

Die beiden Freunde staunten nicht schlecht über Peters Einfall.

»Das ist genial«, strahlte Bob. »Genauso machen wir es. Ich lege sofort Batterien in die drei Karren. Jetzt wird's lustig.«

# Spielzeugschlachten

Während Bob die drei Wagen für den Start vorbereitete, spähte Justus auf den Marktplatz. Das Juweliergeschäft war anscheinend in der Zwischenzeit ausgeräumt worden, denn Sancho zeigte nun in Richtung Spielzeuggeschäft. Blitzschnell zog Justus den Kopf ein. »Achtung! Die wollen jetzt hier weitermachen!« Es blieben ihnen nur noch wenige Sekunden. Peter rannte fluchtartig zu der schmalen Tür. »Mist, die lässt sich von innen nicht öffnen«, zischte er. »Die hat auf dieser Seite nur einen Türknauf.« Fieberhaft blickten sie sich in dem Geschäft um.

Plötzlich ballte Bob die Faust. »Bingo! Schnell, das da hinten ist unsere letzte Chance.« Auf einem Podest standen mehrere verkleidete Schaufensterpuppen und daneben hingen an einem Verkaufsständer weitere Kostüme. Justus und Peter verstanden sofort, woran Bob dachte. Hektisch warfen sie sich die Kostüme über.

Von draußen hörte man, wie mit dem Brecheisen die Tür aufgehebelt wurde. Im letzten Moment stolperten die drei ??? auf das Podest und erstarrten zu lebendigen Puppen. Sie spürten ihre Herzen bis in die Fingerspitzen pochen.

Justus stand ganz vorn im Astronautenkostüm. Neben ihm hatte sich Bob aufgebaut. Er verbarg sein Gesicht hinter dem Visier einer Ritterrüstung aus Plastik. Peter schließlich hatte sich in einen Weltraumkrieger verwandelt. In der rechten Hand hielt er ein Laserschwert.

Mit einem lauten Krachen brach die Tür aus dem Scharnier.

»So, dann wollen wir mal sehen, ob es hier was Schönes zu holen gibt. Du Idiot hast ja den Plan vom Doc verloren«, hörte man Sanchos Stimme. Er machte sich sofort an der Kasse zu schaffen, während Eddy auf die drei ??? zukam. »Nun guck dir das an!«, rief dieser nach hinten. »Unglaublich, was die Gören heutzutage alles an Spielzeug bekommen!« Eddy stand jetzt direkt vor dem Astronauten und Justus' Atem beschlug die Scheibe seines Helms. Doch dann wandte sich der Mann wieder ab und schlenderte zu einem Regal mit Stofftieren. »Vielleicht sollte ich mir eins mitnehmen — was meinst du, Sancho? Die sehen verdammt echt aus. Wäre ein schönes Maskottchen.« Er streckte seine Hand in Richtung eines kleinen Totenkopfäffchens. Es war Tarzan. Bewegungslos hockte das Tier zwischen einem Känguru und einer Stoffeule.

»Hast du nicht mehr alle auf der Lampe?«, rief Sancho zurück. »Was willst du mit dem Kinderkram? Hilf mir lieber mit der Kasse, und dann nichts wie raus. Hier ist für uns nicht viel zu holen.«

Nachdem Sancho und Eddy das Geschäft verlassen hatten, harrten die drei ??? noch eine Weile auf dem Podest aus. Justus riss sich als Erster den Helm vom Kopf und holte tief Luft. »Ich dachte, ich muss ersticken«, keuchte er. »Los, wir müssen uns jetzt mit unserem Ablenkungsmanöver beeilen!«

Um Zeit zu sparen, behielten sie die Kostüme gleich an. Jeder von ihnen nahm eins der Spielzeugautos und hängte sich die dazugehörige Fernbedienung um den Hals.

»Auf mein Zeichen fahren wir gleichzeitig durch die Eingangstür«, flüsterte Bob.

»Und los!«

Leise surrten drei Elektromotoren auf und die Autos rollten nebeneinander über den Bürgersteig. Bob gab die Kommandos. »Wir müssen von allen Seiten gleichzeitig kommen. Seht ihr, die stehen direkt vor dem Brunnen. Passt auf, dass sie eure Wagen nicht erwischen!«

Zunächst bemerkten die beiden Gangster die Spielzeugautos gar nicht. Erst als Peter die Sirene seines Polizeiwagens einschaltete, rissen Sancho und Eddy erschrocken die Hände in die Luft.

»Nicht schießen!«, schrien sie, zu Tode erschrocken. Justus' Marsmobil hatte einen eingebauten Fotoapparat. Er drückte einen Knopf und grelle Lichtblitze zuckten auf. Jetzt erst begriff Sancho, was vor sich ging. »Hey, das sind gar nicht die Bullen. Das sind verdammte Spielzeugautos! Los, die schnappen wir uns!« Eddy lief hinter dem Polizeiwagen her.

»Ich brauch Hilfe!«, flüsterte Peter. Bob reagierte sofort, lenkte seinen Jeep direkt zwischen die Beine von Eddy und ließ den Mann mit der Tätowierung zu Boden stürzen.

Peter strahlte. »Volltreffer!«

Immer weiter lockten die drei ??? die Gangster die Straße herunter. Sancho und Eddy schrien vor Wut. Ohne nachzudenken, jagten sie hinter den Wagen her und versuchten sie einzuholen. Als sie hinter einer Bergkuppe verschwunden waren, ließen Justus, Peter und Bob die Fernbedienungen fallen und rannten, so schnell sie konnten, über die Straße. Tarzan hatte sich an Peters Weltraumanzug gekrallt.

»Geschafft«, schnaufte Justus. »Jetzt schnell zur Kirche!«

# Glockenspiele

Die Türen der Kirche wurden nie verschlossen und so gelangten die drei ??? problemlos zu der Treppe, die zum Glockenturm führte. Hastig stiegen sie die schmalen Stufen empor. Bei der Hälfte musste Justus eine Pause einlegen, dann erreichte auch er die obere Plattform des historischen Turms. Hier befand sich das mechanische Uhrwerk. Große eiserne Zahnräder ratterten und drehten sich im Wechsel schnell und langsam. Das ganze Werk wurde noch ohne elektrischen Strom betrieben. Mithilfe schwerer Gewichte musste die Uhr jeden Tag aufs Neue wie ein Wecker aufgezogen werden.

Peter tastete sich an der gusseisernen Glocke vorbei und blickte durch eine runde Maueröffnung über die Stadt. Eine schlafende Eule schreckte auf und nahm Reißaus.

»Gib mir mal das Fernglas!«, rief er nach hinten. »Ich glaube, Sancho und Eddy machen sich am Hotel zu schaffen.« Bob reichte es ihm. »Da, wie ich gesagt habe. Die stellen gerade alles vor die Tür, was sie mitnehmen wollen. Selbst die rosa Handtasche hat Sancho gefunden.« Justus machte sich währenddessen mit dem Uhrwerk vertraut. »Also, im Prinzip funktioniert das wie eine Kuckucksuhr. Ich habe neulich mit Onkel Titus eine repariert. Bei der Kirchturmuhr werden alle Viertelstunde die Glockenschläge ausgelöst.«

»Und wo wird nun die Weckzeit eingestellt?«, fragte Bob ratlos. Aber ganz so einfach, wie Justus es sich vorgestellt hatte, war es nicht.

Minutenlang betrachtete er die verwirrende Mechanik der unzähligen Zahnräder. Doch plötzlich hatte er eine simple Idee. »Natürlich, wir verändern einfach die Zeit.«

»Die Zeit verändern?«, wiederholte Bob verständnislos.

»Genau. Peter, kommst du an die großen Zeiger der Kirchturmuhr? Versuche, sie genau auf eine Minute vor zwölf zu drehen.« Es war möglich, von innen das riesige Zifferblatt zu erreichen. Peter stellte sich auf die Zehenspitzen und stellte die Uhr auf

die neue Zeit ein. Justus war zufrieden. »So, und jetzt schnell raus hier.« Doch in diesem Moment begannen sich mehrere Zahnräder zu drehen und setzten den großen Klöppel der Glocke in Bewegung. »Achtung! Ohren zuhalten!«, schrie Justus. Den dreien dröhnte der Kopf, als die lauten Glockenschläge den Turm erzittern ließen. Tarzan stolperte vor Schreck die halbe Treppe hinunter.

So schnell sie konnten, rannten die drei ??? aus der Kirche und versteckten sich hinter dem schwarzen Lastwagen auf dem Marktplatz. Beim zwölften Glockenschlag kamen die beiden Gangster vom Hotel zurück.

»Eddy, wieso bimmelt diese verdammte Glocke so oft?«, keuchte Sancho außer sich vor Wut.

»Adler an Geier. Bitte kommen! Was passiert da bei euch?«, krächzte gleichzeitig Dr. Kepplers Stimme aus dem Funkgerät. Sanchos Hemd war völlig nass geschwitzt. »Geier an Adler. Wir wissen es nicht. Ich wette, es sind wieder diese Gören.«

»Bleibt, wo ihr seid. Die Leute hier am Strand werden langsam unruhig. Einer hat mit seinem Handy in

Los Angeles angerufen. Unser falscher Big One ist kurz davor aufzufliegen — die blöde Glocke war hier nicht zu überhören. Ich komme jetzt mit den anderen beiden zu euch. Schmeißt den Rest in das Baby und dann hauen wir ab! Ende.«

Die drei ??? hatten alles mitgehört und wussten, dass ihnen nicht mehr viel Zeit blieb.

Sancho und Eddy rannten wieder zurück zum Hotel.

»Was machen wir denn jetzt?«, fragte Peter ratlos. »Wenn wir die Typen nicht aufhalten, sind die Ratten mit der ganzen Beute über alle Berge.«

Fieberhaft knetete Justus seine Unterlippe. Und auch diesmal half es ihm beim Nachdenken. »Um Ratten zu fangen, braucht man einen Köder. Einen Köder und eine gute Falle.«

»Willst du denen Speck vor die Nase halten?«, fragte Peter irritiert.

»Nein. Für diese Art von Ratten braucht man was anderes. Kommt mit!« Ohne nachzufragen, rannten ihm Peter und Bob hinterher. »Für lange Erklärungen haben wir keine Zeit. Tut einfach, was ich sage!«

Justus führte die beiden in den aufgebrochenen Tresorraum der Bank, trat mit dem Fuß die Blechplatte weg und warf ihnen bündelweise Einhundert-Dollar-Scheine zu. »Das ist unser Speck.«

# Rattenfalle

Peter verstand immer noch nicht. »Sollen wir uns jetzt selber die Kohle unter den Nagel reißen?«

Justus schüttelte den Kopf. »Quatsch! Wir legen damit eine Spur aus. Den Typen geht es nur ums Geld. Wenn die unsere Dollarscheine auf dem Marktplatz finden, dann können sie gar nicht anders, als alles aufzusammeln.«

Peter und Bob sahen sich verwundert an. Dennoch halfen sie Justus, Geld auf den Boden zu streuen. Sie hatten es immer noch nicht geschafft, ihre Kostüme auszuziehen. Die Spur führte direkt zu der tiefen Grube der Baustelle. Den gesamten Rest der Scheine warf Justus in das Baggerloch.

Wie Schneeflocken rieselten die Banknoten auf den Boden und landeten im Matsch.

In diesem Moment hörten sie, wie sich ein Wagen der Stadt näherte. »Wir müssen weg!«, rief Peter alarmiert. »Das ist garantiert Keppler mit den anderen beiden Typen.« Atemlos hetzten sie zu dem Brunnen und warfen sich dahinter flach auf den Boden.

Peter lag mit seiner Vermutung richtig. Sekunden später jagte der rote Sportwagen über das Kopfsteinpflaster und kam mit quietschenden Reifen vor dem Wohnmobil zum Stehen.

»Sancho! Eddy! Wo seid ihr? Wir müssen sofort dieses lausige Nest verlassen!« Die beiden anderen Gangster rannten zu dem Truck.

»Doc, wir können nicht mehr warten!«, brüllte der Mann mit der tiefen Stimme und verschloss die großen Ladetüren. Doch Keppler hämmerte auf die

Hupe des Sportwagens. »Nun macht schon! Wo steckt ihr, verdammt noch mal!?«

»Doc, Doc, hier sind wir! Warte auf uns!« Die Stimme kam aus der Richtung des Hotels. Sancho und Eddy schoben auf einem Teewagen den herausgerissenen Wandsafe über die Straße.

Dr. Keppler atmete erleichtert auf. »Beeilung! Schmeißt das Ding ins Wohnmobil! Wir müssen verschwinden. Dieser Reynolds wurde langsam ungemütlich. Auch die Schreckschraube mit der Bohnensuppe wollte sich auf den Weg machen.«

Doch dann fiel der Blick des falschen Wissenschaftlers auf den Boden. »Moment mal, was ist das denn?« Entgeistert hob er ein Bündel Einhundert-Dollar-Scheine auf. »Idioten! Ihr habt das Beste liegen lassen. Wie kann man nur so dumm sein? Und da — da liegen ja noch mehr Scheine.«

Wie von Sinnen stopfte er sich die Geldbündel in die Taschen seines weißen Kittels. »Steht da nicht so blöd rum!«, brüllte er seine vier Komplizen an. »Sammelt die Kohle auf! Das müssen Tausende sein. So viel Zeit haben wir noch.«

Als er schließlich in die tiefe Baugrube blickte, traute Dr. Keppler seinen Augen nicht. »Nun guckt euch das an. Da unten liegt garantiert eine halbe Million! Los, runter mit euch!«

Sancho war von diesem Gedanken nicht gerade begeistert. »Doc, hier stimmt was nicht. Wir haben die Kohle bestimmt nicht da reingeworfen. Lasst uns lieber abhauen. Mir gefällt diese Stadt nicht. Besonders die verdammten Gören der Stadt. Ich habe kein gutes Gefühl bei der Sache.«

Aber Keppler schien nicht darauf hören zu wollen. »Mir sind deine unguten Gefühle völlig egal. Ich seh hier unten nur einen Haufen Dollars. Und die werde ich bestimmt nicht einfach liegen lassen. Zu lange habe ich auf diesen Tag gewartet. Und nun mach gefälligst, dass du mit runterkommst!«

Sancho gab sich geschlagen und folgte den anderen auf der Leiter in die Grube. Wie besessen sammelten die Gangster die Scheine ein.

Dies war der Moment für die drei ???, um loszuschlagen. Justus' Plan schien aufzugehen. »Los! Jetzt oder nie!«, flüsterte er. Sie rannten zu dritt auf die

Baugrube zu und packten gleichzeitig die Leiter. »Und rauf damit!«

Meter um Meter zogen sie die lange Leiter aus der Grube heraus. Eddy bemerkte es als Erster. »He! Seht mal, die Rotzgören klauen uns die Leiter!« Er machte einen gewaltigen Satz, berührte mit den Fingerspitzen gerade noch die unterste Stufe und klatschte dann aber in voller Länge in den Matsch. Unaufhörlich brüllten die anderen Gangster wüste Beschimpfungen nach oben.

»Das war's«, strahlte Justus und klatschte in die Hände. »Die Ratten sitzen in der Falle.«

Immer wieder versuchten die gefangenen Verbrecher, aus der Grube zu entkommen. Sie stellten sich übereinander und erreichten sogar einige Male den Rand der Grube. Doch dann brach ihr wackeliger Turm jedesmal zusammen und alle landeten im Morast.

»Der Doc sieht langsam aus wie ein Moormonster«, lachte Bob.

Es dauerte nicht lange, bis Kommissar Reynolds mit Blaulicht angeschossen kam. Er stieg aus und

rannte fassungslos mit einem weiteren Beamten auf die drei ??? zu. »Jungs, was macht ihr hier? Was geht hier eigentlich vor sich?«

Wild durcheinander erzählten sie, was sich in den letzten Stunden zugetragen hatte. Nur mit Mühe konnte der Kommissar ihnen folgen und setzte sich anschließend erschöpft auf den Brunnenrand. »Ich versteh überhaupt nichts mehr — ich brauch dringend Urlaub. Miller, verhaften Sie alles, was aussieht wie ein Verbrecher und mit Matsch beschmiert ist!«

Nun folgte allmählich die halbe Stadt. Ein Wagen nach dem anderen rollte auf den Platz und in wenigen Minuten waren alle Straßen verstopft. Justus erkannt in dem Gedränge den Pick-up von Onkel Titus. »Justus, Justus! Was ist nur passiert? Und was habt ihr da überhaupt an?«, rief Tante Mathilda aus dem Wagen heraus. »Ich habe extra was von der Bohnensuppe für euch aufbewahrt.« Hinter dem Pick-up traf Mister Porter ein. Er hatte noch längst nicht seine ganzen Helme und Decken verkauft. »Moment, meine Damen und Herren. Für heute ist die Gefahr gebannt. Aber Big One kann morgen schon wieder kommen. Kaufen Sie jetzt eine Taschenlampe und Sie erhalten gratis Batterien dazu!«

Plötzlich hörte man einen alten Mann im Rollstuhl verzweifelt über den Marktplatz rufen. »Tarzan! Tarzan, wo bist du? Tarzan!« Die drei ??? sahen sich erschrocken an. »Stimmt, wo ist eigentlich der Affe?«, fragte Peter besorgt.

Jetzt erst fand Justus Jonas Zeit, seinen Astronautenanzug auszuziehen, und wühlte zögerlich in seiner Hosentasche. Zum Vorschein kam doch noch ein allerletztes aufgeweichtes Schinkenbrötchen. »Tut mir leid — ohne Proviant läuft bei mir gar nichts«, entschuldigte er sich bei seinen Freunden und schwenkte das Brötchen in die Luft. Es dauerte nicht lange, bis blitzschnell, wie aus dem Nichts, ein kleines Totenkopfäffchen auf ihn zusprang, das Schinkenbrötchen schnappte und sich unter der Jacke eines glücklichen alten Mannes versteckte.

## STECKBRIEF

**Name:**
Justus Jonas

**Alter:**
10 Jahre

**Adresse:**
Rocky Beach, USA

**was ich mag:**
essen, lesen, unbeantwortete
Fragen + Rätsel aller Art, Schrott

**was ich nicht mag:**
wenn ich Pummelchen genannt
werde, für Tante Mathilda aufräu

**was ich mal werden will:**
Kriminologe

**Kennzeichen:**
das weiße Fragezeichen

## ST

**Nam**
P

**Alte**

**Adr**
Ro

**was ich mag:**
schwimmen,
Justus und

**was ich nicht mag:**
für Tante Ma
räumen, Ha

**was ich mal werden**
Profisportler?
100 Jahre al

**Kennzeichen:**
blaues Frag